D1109078

一个人住的每一天

（日）高木直子◎著
顾峰峰◎译

辽宁科学技术出版社
· 沈阳 ·

前言

不知道大家都是出于什么原因才开始一个人生活的。
最多的，应该是考上了离家比较远的学校，
又或者是想趁着工作的机会独立起来，
还有一些是因为工作调动去了外地，
甚至有些人只是单纯很向往一个人的生活，
当然，还有很多除了这些以外的其他原因。

我出生在三重县，
曾就读于名古屋的设计学校，
毕业后又在名古屋一家设计公司上班，
但上学和工作的时候，我也一直住在家里。
后来因为无法放弃上东京当插画家的梦想，

毅然辞去工作，在24岁那年春天，只身上东京！！

这就是我开始一个人生活的契机。

时间过得真快，转眼我已经一个人生活了12年……

这中间有欢笑，有泪水，也有寂寞。

我想把我这几年独居生活中经历过的事情和感受，

用画笔点点滴滴地记录到这本书中。

虽然我这个人有点不靠谱，

生活也并非多姿多彩，

但还是希望大家能够从中找到共鸣。

目 录

前言 2

忐忑不安的租房体验 7

一个人住之租赁合同 17

开门走三步就是睡床 27

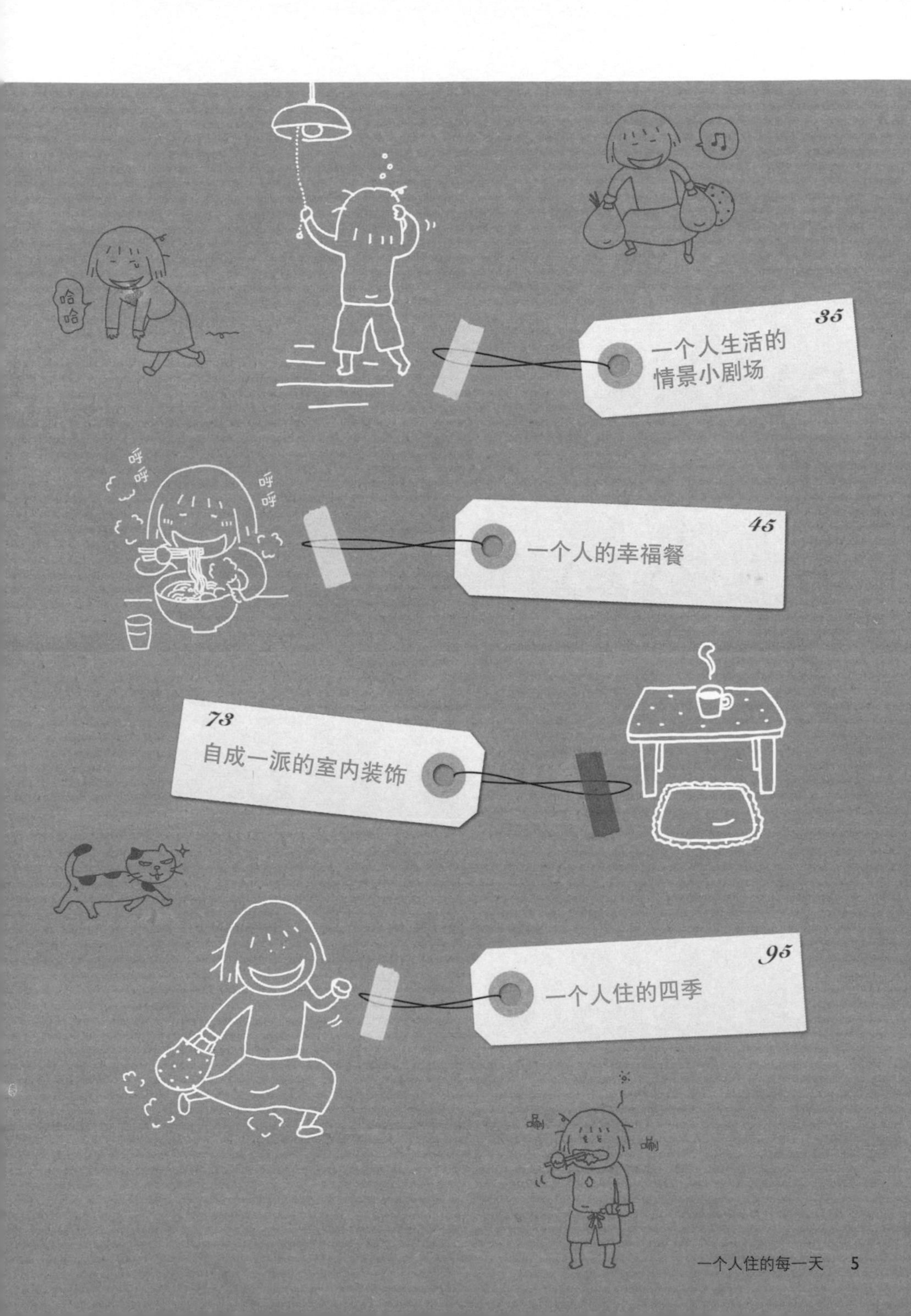

35 一个人生活的情景小剧场

45 一个人的幸福餐

73 自成一派的室内装饰

95 一个人住的四季

纪念相册

最初住的房子……16

有点想家……34

饮食日记 1……54

饮食日记 2……68

初次公开！这就是我现在的家……92

快乐的绿植栽培……105

本书中登场的小明星们……120

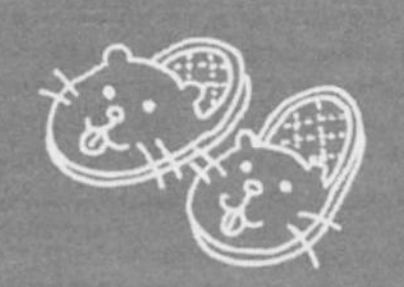

心跳百分百 独居杂记

第一部分……14

第二部分……70

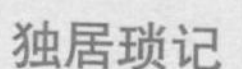

独居琐记

闯东京篇……44

饮食篇……72

蜗居篇……94

后记 122

忐忑不安的租房体验

我搬来东京一个人生活之前，曾先到这边找房子。
呃～好多人啊～
ALTA
熙熙
攘攘
哈哈哈
虽然对东京的地理情况毫无概念，手头上也没有多少钱……
想要住在中野
高圆寺
荻窪那一带!!
心里还是有这样的期望……
感觉画画的人会比较喜欢住在那边
把我的要求一五一十地告诉房产中介……
中野～荻窪一带，阳光充足，租金在五万日元以内。
新宿的房产中介
二楼以上～
靠近车站～
JR
这个价格，你根本不可能在那一带租到满意的房子!!
绝对的!!
被泼了冷水……
不是吧?
还不如找稍微靠郊外一点的，租金又便宜、房子也相对比较干净漂亮。
嗯～这里啊……
实地考察
周围是农田
就这样听从了房产中介的意见，住到了稍微靠郊外一点的公寓里。
结果在那里一住就是五年半。
虽然小了点但住起来感觉还不错♥

后来又和姐姐在一起住了两年……
比我大一岁的姐姐
干杯
来
呵呵呵
逍遥自在的姐妹生活
接着，一个人生活的机会再次降临，我又要重新开始找房子了。
一个人生活
重新出发!!
那时我对东京的地理情况已经很熟悉了，工作稳定之后经济也变得比较宽裕。
这次我要搬到好一点的地方去!!
最好是那种精装的!!
唰唰
唰唰
公寓大厦信息总汇
房屋租赁 NEWS
房产杂志
最后把目标锁定在方便去市中心的车站周边。
车站
哐当……
哐当……
BAR
距离市中心约十分钟车程~
房产中介
CAFE
没想到房租比想象中贵多了……
什么!!
连这种格局都要这么贵吗!?
这一带都是这个价位啊~
新建
可养宠物
也去看过几处房子，却没有一间让人满意的。
这里租金很合算哦~
昏~暗
便宜的租金果然租不到像样的房子……
破败……
嘎吱……

而且那个小区本身就有点怪怪的……
嗯～虽然很整洁很幽静……
antique Shop
hair studio
但总觉得缺少了一些生活的气息……
最后还是决定放弃那一带。
不行这里太"时尚"了，不适合我!!
再见～
那之后，我又失去了信心，还是决定找靠郊外一点的房子……
这套房子很值得考虑哦～
哇～又宽敞又明亮!!
还是郊外好，房子又好又便宜。
中介
拜托您了哦～
我会考虑看看的～
可是我也不是很喜欢那个小区……
PTA
虽然看上去环境还不错……
但比起一个人，似乎更适合一家子生活……
晚上又去考察了一番，结果发现……
哇～入夜后一片漆黑!!
死～寂
不敢一个人从车站回家啦!!

找房子的时候，一定要先去实地考察一番。
这边没有超市呢……
那要去哪里买东西啊？
尘土飞扬~
对着一条大马路，非常嘈杂~
咳咳
PUB
怎样~？
胡扯什么~
这里晚上很乱耶~!!
夜间考察尤其重要!!
另外，去当地的中介公司也可以咨询到很多有用的信息……
这家的房东，人很好哦~
附近还有一家很好吃的拉面店~
是吗~
菜庄
松井之家
吉田公寓
跑去市中心一家规模很大的中介公司……
嗯~我想找这条线路附近~
或者这条线路附近的房子~
房租大概这个上下~
大小嘛~
如果是这个条件的话，其实这一带也有很多不错的房子~
你看这套怎么样……
唰
哇喔
小田急线
东横线
尤加利之家
青空庄
中介对周边的情况了如指掌，决定不下该住哪里时，听听他们的建议还是很有帮助的。
一到感兴趣的站点就下车逛逛……
车站
这样寻寻觅觅间……

终于找到了满意的地方。
啊……这个地方的热闹恰到好处……
和闲适的氛围，正合我的心意………
西饼店
车站
哐当
嘈杂
文具
叮当
叮当
嘈杂
烤鸡串
24小时超市
有大型超市……
吵吵
嚷嚷
水果
鱼
欢迎光临
FLOWER
还有很多好吃的……
鲷鱼烧
PIZZA
今日特价供肉
人声鼎沸
促销商品
¥88
也有很多私营商铺……
拉面
锅仔饭
完全能够想象自己在这里生活的样子～
蔬果店
便当
日式馒头
日式点心
啦～啦～
哇～
很好吃的样子～
草团子
超市
超市
而且中介带我去看的那间房子……
就是这里了～

我觉得很合心……
刚刚重新装修过，所以很干净～
哇，厨房也是新的！！
当场拍板！！
就租这里了！！
住起来非常舒服，之前的奔波都是值得的……
无所事事
一直住到现在……
我对现在的生活十分满足……
超市
积分双倍
SALE
¥98
走路2分钟就能到超市～
啦啦～
可是既然在东京生活，也该体验一下现代化小区的感觉吧～
下次再搬的话，就找大公园附近的房子吧～
但有时也会畅想一下下次搬家的情景。
临水的房子也不错，可以对着河水发呆～

以下是可选条件……

4	附近有超市
5	徒步10分钟之内到车站
6	光照良好
7	卫浴分开
8	有空调
9	煤气灶（双灶）
10	充足的收纳空间

（其他）
有阳台、室内可放洗衣机、房龄较新、地板房、允许养宠物、保证金便宜、等等……

搬家篇
最近搬家可以网上报价，非常方便。
填写一张表格
输入大概的货物量、搬家日期和联系方式♡
冰箱
TV
床
然后就会有不同的搬家公司打电话过来报价。
A公司
我们只需4万日元!!
B公司
我们只需3万日元～
C公司
现在最便宜的报价是多少啊？
应接不暇……
偶尔也有这样反过来问的。
最后找了报价最便宜的那家公司，结果当天上门来的……
请多多指教～
一个老年工人……是和我爸差不多年纪的
搬东西的样子非常吃力，搞得我又是抱歉又是不安……
呼～哧～
下次就算多花点钱，也要指定两名以上的工人!!
呜呜……对不起……
啊……我的电脑……

附录
在搬家公司打工时目睹的各种场景……
难题篇
箱子里装太多东西。
费力～
书
重如磐石
重的东西应该分开来打包
会很容易伤到工人的腰哦
搬家当天还在忙着打包。
对不起 对不起
碎碎念～
石化
感动篇
老太婆……这房子里有我们好多回忆……
终于还是要说再见了～……
要离开住了很多年的老房子，每个人都会感慨万千。
呜呜……
被感动的直子
待续

纪念相册

～最初住的房子～

比较靠郊外的住宅区……

紧邻农田，环境闲适。

我就住在这栋公寓里。

这边的公寓比较漂亮，
好想住哦……

我的房间!!

我家的

IT区

买了电脑以后，房间看上去更拥挤了……

冰箱和微波炉中间是我亲手做的置物架，
用来放调味料。

曾经养过一种名叫斗鱼
的热带鱼。

东西一
直堆到
屋顶!!

万一地震就完蛋了

一个人住之租赁合同

租房时必须签订房屋租赁合同……
房屋租赁合同
○○○○○ △号室
出租方 某中介公司
承租方 高木直子
租赁期
平成○年○月○日·
平成○年○月○日
我呢，去东京的时候只是抱着“从事绘画工作”的梦想，并没有具体的目标……
所以一开始找房子的时候，因为工作的问题吃了瘪……
什么？还没有找到工作?!
也不是在校学生?!
房东都不太愿意把房子租给自由职业者～
今后想靠画画谋生，也就是说现在是个自由职业者咯？
打～击
这种人我可见得多了～开始都是信誓旦旦的，到最后却连房租都付不起～
啊哈～
以后准备靠画画谋生～
嘟嘟囔囔
呵呵
嗯……那个～我想先搬过来再去打工～
如果是学生的话，有没有工作倒不是那么要紧～
深受
打击
想把房子租给有正经工作的公司职员，也是人之常情啊～
我那时已经物色了一所绘画学校……
每年有春季和秋季两次入学机会（2年制）
学习素描和插画
每周开课3天，学费比较便宜♥

啊……我已经找好学校了，秋天就能入学!!
当时才三月份……
开学前我会努力打工的，你就跟房东说我是个学生吧~!!
相信我~
在我苦苦央求之下，终于得到了房东的同意。
那我就跟房东说，从秋季开始你就是学生了~
嗯……
喔喔~
最后还有担保人的问题……
找一个有正式工作的家人或者朋友，在担保人一栏里签名盖章。
这里和这里，两个地方~
能想到的担保人就只有老爸了。可是当初我执意去东京时，父母并不是很支持。
在东京一个人生活可不是闹着玩儿的~
在这边不是一样能画画嘛~
直子应付不来吧!
老妈
老爸
因此不太好意思拜托老爸。而当我诚惶诚恐地开口时……
那……那个……我在东京找了一处房子，您能不能在担保人这里帮我签个名盖个章啊~
呵呵……
回了一趟老家
老爸二话没说就做了我的担保人。
对不起~
真拿你没办法~
最多这么唠叨几句

就这样，我终于顺利租到了房子，开始过起一个人的生活……
我家
庆祝♥落户东京!!
呜呜……现在开始，我就要在这间房子里一个人住、一个人吃饭……
作为一个独立自主的成熟女性，坚强地生活!!
然而愿望美好，现实却很残酷，别说画画的工作，根本连打工的事也毫无着落。
这次，我们未能录取您。
啊~
打工信息
面试常败将军
而且一个人住比想象中更费钱……
呜呜……电费3000日元
煤气费、水费、电话费、房租、餐饮费……
账单
在老家时存下的那一小笔钱也快花光了……
糟……糟糕，再这样下去没钱付下个月的房租了……
西瓜银行
这种人我可见得多了~到最后连房租都付不起~
啊~~
生活瞬间陷入穷困……
呜呜
嗦嗦

父母很担心我，经常打电话过来……
怎么样？东京的生活还顺利吧？
有没有好好吃饭啊？
嗯……
嗯……
有时也会请求资金援助。
房租……
其……其实，这个月的生活费有点紧张……
再这样下去，秋季都没办法入学上课了……
打工打工～!!
嘭
啪嗒
啪嗒
好在中介公司并没有深究这个问题。
心惊
胆战
一度很担心中介公司会突然要求我出示“入学证明”。
有一天突然接到老家打来的电话!!
市政府打电话来催你交国民年金……
诶!?
去东京之前，我在银行户头里存了一笔钱，用来交国民年金。
这些够交几个月年金了!!
等那边生活稳定了再存钱进来!!
哼哼
BANK
因为居住证没有迁往东京，所以还是在老家交年金。

看样子那笔钱已经扣光了。
呜呜……可是我现在没有多余的钱交国民年金……
所以您就不要管那个电话了……
诶!?
后来妈妈实在看不下去，就帮我交了……
直子那孩子真是的……
ATM
取钞~
唉~
口口声声说着要一个人过独立的生活……
到头来却一直让父母操心，给父母添麻烦……
……
拉面
呜呜……老爸老妈……
哧溜溜……
对不起，女儿没出息……
哧溜
打工
当时爸爸已经五十六岁，再过四年就能退休了……
56岁
认真执着
从18岁起，坚守岗位38年

我保证，等爸爸退休的时候就不会再让爸妈操心了……
洗洗
刷刷
现在为我操的心，将来一定用孝心加倍奉还……
所以请再给女儿一点时间……
让我再依赖你们一阵子吧……
酣睡……
带着这样的心情过我的每一天……
可是之后的日子，依然过得紧巴巴的……
打工~!!
肚子好饿~
推销插画~!!
第一本绘本出版时，老爸已经退休，而我去东京也快满五个年头了……
150cm Life
高木直子
差点溺毙在满客车厢内
Media Factory 出版

那之后工作逐渐增多，生活也日趋安定……
哦哦~出版社的汇款~
存折
在东京第六年，终于可以亲手奉还老妈垫付的国民年金了。
您之前帮我垫付的都在这里了~
毕恭
毕敬
也慢慢有能力买点东西孝敬父母……
给家里寄点东京特产吧~
东京芭娜娜和仙贝之类的~
仙贝
东京
父母也终于可以放心了。
看来直子去东京真是去对了呢~
还出版了自己的书，真是了不起~
欢欢
一个人在东京生活，又有了稳定的工作……
这下可以算是真正独立了吧!!
振奋~
却不得不再次面对残酷的现实……
什么!!
自由插画家!?
房屋租赁合同

从事自由职业的我，社会信用度比较低……
太伤脑筋了~
也就是说你不属于任何一家公司，对吧~？
不填工作单位那一栏会比较麻烦~
打~击
总得填些什么才行啊
嗯……那就把这家出版社的名字写上去吧~这个房东可是出了名的挑剔呢~
比如……这一本~
可……可是我有出书啊~
150CM Life
租房子，当然还是得有担保人……
嗯!?
令尊已经退休了!?
房屋租赁合同
○○○○○ △号室
那就不能再做担保人了哦
退休不就意味着无业吗？
打~击
我老爸是无业人员!!
原来……老爸已经不能再做我的担保人了……
记得要找一个有正式工作的担保人
天哪~
最后，只能找弟弟求救……
那……那个不好意思能不能做姐姐的担保人？
我保证不给你添麻烦……
不是吧!?
弟弟

仔细想想，这种时候如果没有家人可以做自己的担保人，真的会很凄凉……
请问，能麻烦您帮我在担保人这里签个名吗？
哎！
朋友或者亲戚……
哈腰
点头
虽然也有免担保的房子……
真庆幸，我还有个弟弟。
对不起弟弟……
房屋租赁合同
帮我签了名
住进去之后，就过起了无忧无虑的生活……
在自己的小天地～放轻松～
MILK
POTATO 清汤口味
啊～有电话。
铃铃铃
其实就算独立了，我们也不可能一个人活着……
啊，妈妈嗯，我很好～
还是老样子啦～
没有家人和朋友的支持，就没有现在安心生活的我。

开门走三步
就是睡床

久居则安

我一开始住的那间公寓，因为租房的时候前任房客还没搬走，所以直到搬家那天我才看到里面的情形。

在这种地方
真的能过日
子吗？
我把东
西搬进
来了
哦～
搬家公司
呜哇
啊啊
根本没地
方摆家具
嘛!!
餐桌
沙发
还有这种……
啊呜……
啊呜……
但是住进去之后，感觉还算不错。
空调制
暖也很
快。
开门走三
步就是睡
床。
我的固定位置
躺在床上
时想要的
东西全都
触手可
及。
打扫卫
生也很
轻松。
躺
在床上
看电视。
晚上上
厕所也
仅有寸
步之遥。
所谓久居则
安嘛。

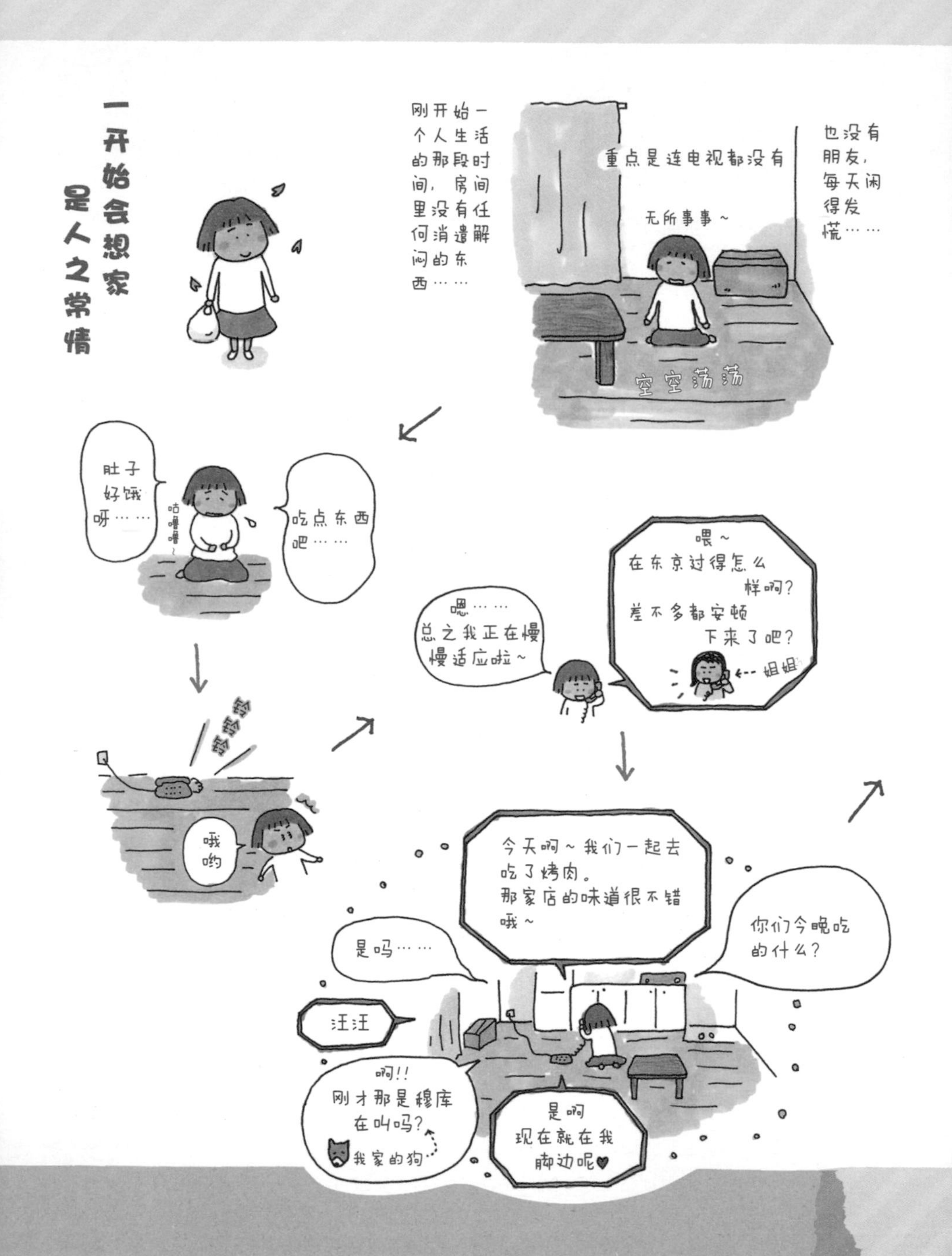

一开始会想家是人之常情
刚开始一个人生活的那段时间，房间里没有任何消遣解闷的东西……
重点是连电视都没有
也没有朋友，每天闲得发慌……
无所事事～
空空荡荡
肚子好饿呀……
咕噜噜～
吃点东西吧……
铃铃铃
哦哟
喂～在东京过得怎么样啊？差不多都安顿下来了吧？
姐姐
嗯……总之我正在慢慢适应啦～
今天啊～我们一起去吃了烤肉。那家店的味道很不错哦～
是吗……
你们今晚吃的什么？
汪汪
啊！！刚才那是穆库在叫吗？
我家的狗
是啊现在就在我脚边呢♥

好了，电话费挺贵的，我挂了哦~
你自己要多保重~
汪
嗯……那就再见吧……
……
咔嚓
失落
在这个还没有习惯一个人的夜晚……
切~真是幸福呢，还有烤肉吃……人家也想和狗狗玩啊……
一个人的晚饭有着伤感的味道……
哧溜……
哧溜溜~
拉面
半年之后……
呵呵
咯吱咯吱
薯片
已经完全习惯了~

顾此失彼的节约之道

啦啦啦

一个人的生活，有很多事都超出想象，比如……

哇~~
上个月空调用得太凶了……

打~击

明细单

结果电费高得离谱~!!

高昂的水、电、煤气费。

回想起来，父母也经常这么说我呢……

不要总是煲电话粥。

唠叨 唠叨 唠叨 唠叨

老妈

老爸

楼梯间的灯又没关。

呵呵~

我在看书呢

终于能够体会这种心情了。

凄惨……

煤气费、水费、电话费都好贵哦……

我决定了！为了省钱，我要过低碳的生活。

爱护地球

哼!!

不管天气多热，坚决不开空调……

闷热

冰袋

猛扇 猛扇

好……好热啊……

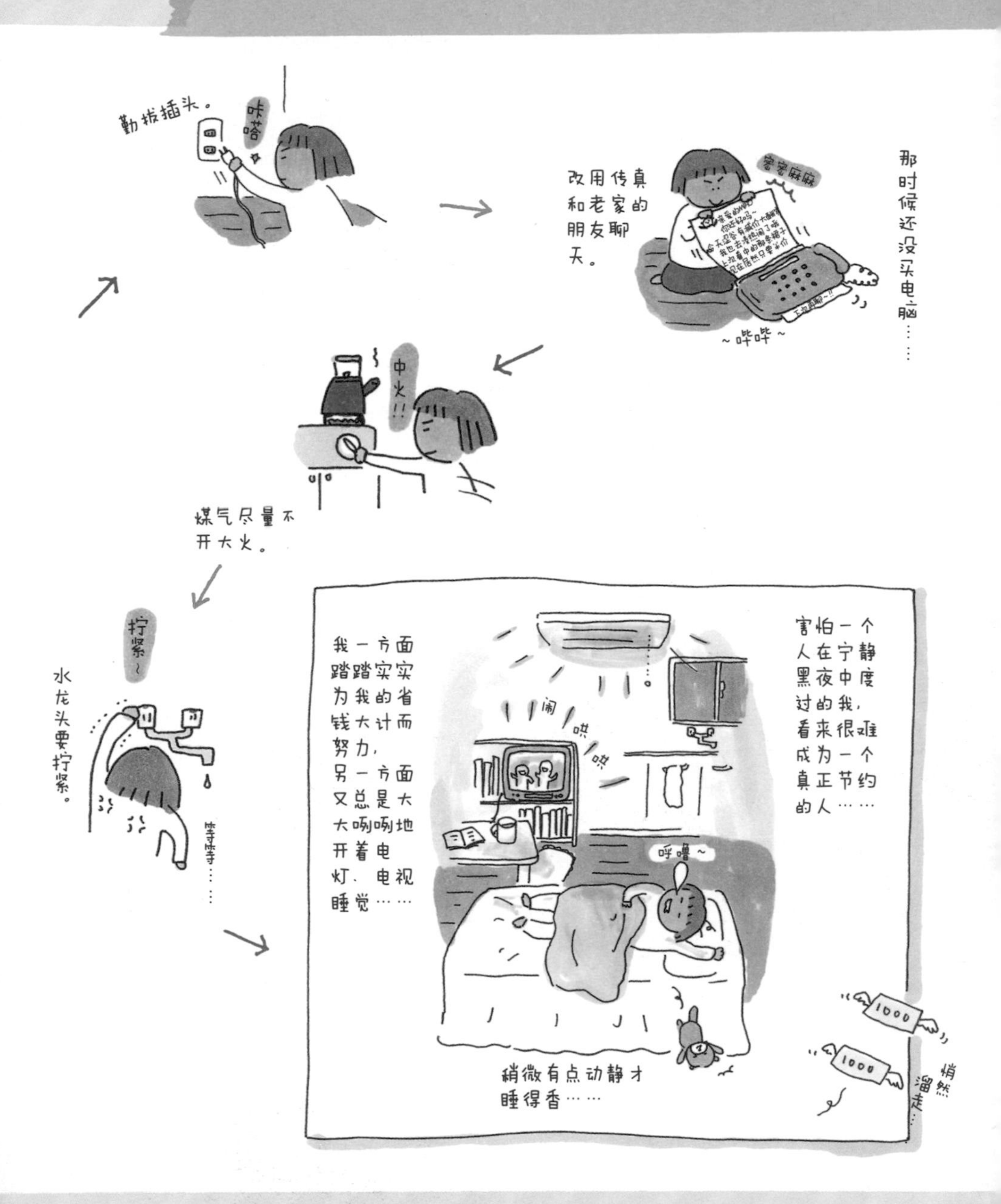
勤拔插头。
咔嗒
改用传真和老家的朋友聊天。
那时候还没买电脑……
~哔哔~
中火!!
煤气尽量不开大火。
拧紧~
水龙头要拧紧。
等等……
我一方面踏踏实实为我的省钱大计而努力，另一方面又总是大大咧咧地开着电灯、电视睡觉……
害怕一个人在宁静黑夜中度过的我，看来很难成为一个真正节约的人……
闹
哄
哄
呼噜~
稍微有点动静才睡得香……
1000
1000
悄然溜走……

纪念相册

~有点想家~

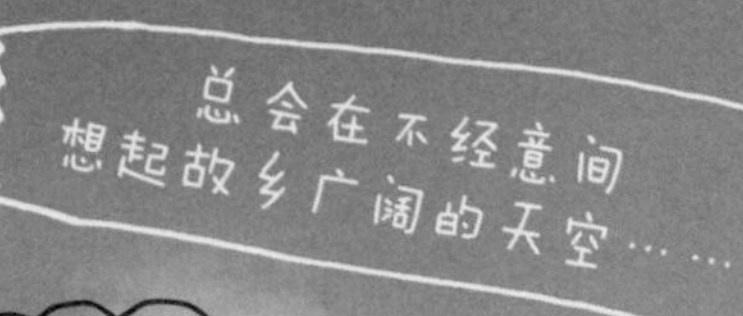

我家的狗狗们
每次都会出来迎接我♡

妈妈做的饭菜
有着令人安心的好味道。

腌梅干、海苔、绿茶、海带
干松鱼……

每次回乡探亲，都要把这些家乡美味带回东京……

一个人生活的情景小剧场

我亲爱的一居室……卷
我一开始住的那间房子是非常窄小的一居室。
阳台
洗衣机
13.5m²
厨房
玄关
收纳空间
洗手间
租金5万日元
因为房子实在太小了，只要站在门口，整个房间就能尽收眼底……
乱成这个样子。
您的快递
于是我想了一个对策，在玄关挂上了门帘……
长款门帘

辛……辛苦了……
感觉还是有点怪怪的……
我也没有要看啊……
墙壁很薄，可以听到隔壁的声音……
啊哈哈……
啊哈~
……
省钱食谱
讨厌~又说这个，真是太讨厌了~啊哈哈~
看样子在和男朋友煲电话粥呢……
若有所悟……
隔壁住的也是个女孩子。
省钱食谱

对现状心满意足……
哎呀～这点地方也足够一个人住了嘛～
储钱罐
薯片
有时也会为这种事生气……
可是凭什么这么个小破房子就要收我5万日元的房租啊!!
咬牙
切齿
这就是我每天的生活。
日子丰富多彩，过得很开心。

这……这都是在聊些什么呀?
讨厌死了～干嘛老说这些害我也想吃番茄意粉了～♡
傻眼～～
听着听着，自己也不小心受了影响……
讨厌～害直子也想吃番茄意粉了～
嘿嘿……
嗤嗤
作响
我每天就在这小小的房间里吃饭、睡觉、哭泣、欢笑……
啊哈哈

门铃惊魂……卷

门铃突然响起来。
叮咚~
我非常害怕……
吓一跳
巧克力曲奇
结果被推销人员逮住不放……
还有美容功效哦~
要订牛奶吗?
订吧订吧
不不用了……
试过好几次冒失地把门打开。
也会遭到可疑人物的纠缠……
为了美好的将来请问您需要手帕吗?
只是接了个门铃电话。
不是吧!?

所以最近我想了一个新方法。
听到门铃响,就悄悄走到门边。
蹑手蹑脚
透过猫眼静静观察。
嘘~~
谁啊?
!!

拿着一堆气球，站在我家门前。
什……什么情况？一个穿戴整齐的大叔……
心跳
紧张
心跳
紧张
紧张
我都趴在门上不敢动弹……
……
七上八下
结果直到大叔离开为止。
如果快递公司的话，一般都会马上开门……
但是
叮咚~
有您的快递~
还在睡
哈

啊呀呀……得找件衣服穿~!!
怎……怎么办!!我也很想给你开门啦。可是穿着睡衣……
叮咚~
高木小姐~
碰
碰
手忙脚乱
聊胜于无地套上围裙。
可还是经常状态百出……
久……等……久了
喘气
印章
……也常常会反应过度。
导致我现在听到电视里的门铃声。
叮咚
吓一跳!!
电视剧

注：JR，日本铁路公司的英文简称。

反正先坐丸之内线然后换乘半藏门线还是什么线的就可以了吧。
JR线
小田急线
都营 500m
没把握……
啊～不行了东京的电车实在太复杂了～!!
嘟嘟
嚷嚷
其实在车站里面……
就已经遇到难题了……
西武线
呜哇～根本找不到丸之内线啊～
这是哪里～?
不过只要能让我回到远离市中心的公寓就可以了……
住在比较靠郊外的地方

我的生活非常简单，和都市化没有半点关系……
嘭!
嘭!
甚至比在老家时还要简单朴素……
我开动了哦
米饭·味噌汤·纳豆·鸡蛋卷·黄瓜
不管生活在哪里……
酣睡～
我还是那个我。

防范最重要……卷
曾委托某公司帮我上门检查房子的情况……
刚搬来现在这个房子时……
嗨哟
嗨哟
检查完毕，准备回去的时候……
今天辛苦了哦~
就你一个人住吗~这么多东西可够你收拾的了~
哈哈……
啊，对了。能不能借用一下洗手间?
啊？……哦，请便请便~

心里总觉得七上八下的……
咕嘟嘟……哗~
哗~
洗手间借出去之后……
怎……怎么这么久……
但是等那人走了之后，我还是忍不住把洗手间仔细检查了一番。
虽然疑神疑鬼的很没有礼貌……
不……不会被动了什么手脚吧!?
东张
西望
摄像头之类的……
那之后又过了两年左右……
还好没有发现任何可疑迹象……
可是人家真的不想把洗手间借给陌生男人啊……
碎碎念
碎碎念
碎碎念
行李拆箱

某男性快递员来我家送快递的时候……
一开门就遭遇到这样一幕。
您好!!您的快递
另外能借用一下洗手间吗!!
呃
嘭!
盖章
诶~可是去厕所的话，房间就会被看光了啊……
乱成这样
洗手间里还有好多没洗的衣服……
待洗
还有一些不方便见人的东西……
嗯……那个……
还是拒绝了他的要求。
大概考虑了两秒钟……
这附近就有一家便利店……
麻烦你去那边吧……

后来跟我的女性朋友聊起这件事……
连个厕所都不肯借，我会不会太过分了一点啊……
结果又为这件事情绪低落了一阵子……
对自己穷追猛打……
纷纷肯定了我的做法!!
天哪!?当然不能借啦~
那个人也太不懂人情世故了~
太危险了!!
不借就对了!!
我也肯定不会借的~!!
我才不想让别人看到我的房间呢~
是吧~是吧~
谨慎一点总是没有错的。
总之，对一个独居女性而言……
说不定有人在看呢!!
糟糕!!

※ 注：阿岩是《四谷怪谈》里的主人公。

一个人的幸福餐

精致可爱的单人餐
总是令人向往。
刚开始一个人住的时候，我也有过这样的憧憬……
买那种大盘餐专用的盘子，可以放很多食物～
然后摆上贝果面包和火腿餐蛋之类的～
嘿嘿嘿
可事实上我的生活很拮据，吃饭也得精打细算……
面包就买100日元一斤的餐包！！
大米
名牌大米
新米
嗨哟
越光
SASANISIKI
大米吃最便宜的就好了！！
热泪盈眶～
5包方便面只要168日元～！！
救星啊～！！
促销商品
特惠拉面
面包
吃饭最重要的是便宜和吃饱！！
海量炒饭
一大碗
一大碗
海量炒面
用冰箱里的食材随意杂烩出的什锦乌冬面～
一大碗

今天我们请来了著名演员○○○小姐和观众分享她的减肥秘诀～
鼓掌鼓掌
糟糕～不小心做太多了，不过吃得下就不要浪费～
对于时尚精致的饮食生活，我只能望洋兴叹……
嗯？
哦呵呵
我一般都在外面吃饭～
每次只吃一半，不会全部吃完!!
爱华
看到这类减肥节目，我总是忍不住一个人生气。
原来如此～这样一来就不必担心吃太多了!!
甜品也只吃一半哦～
哦呵呵……
有机会去外面吃饭居然不吃完，简直太浪费了!!
火冒三丈～
不吃就给我啊!!
话说回来，还有另一种情形也很令人向往……
男朋友来家里玩时，亲手做饭给他吃，也很浪漫吧？
尝尝我做的炖牛肉～
好吃!!你可真能干啊～
我也带过男朋友来家里。
请进～房间很小请不要介意……
打扰了～
一起打工认识的
诶～

最后决定由我来做饭……
真……
真伤脑筋……
冰箱里都没什么
像样的食材……
原来
你住在
这里
啊～
这些材料
能做什么
呢……
来得很
突然
绞尽脑汁想了半天……
嗯～
嗯～
嗯～
随便做什么都可以啊～
哇～!!
可能不怎么好
吃～
最后用
现成的
材料
做了大
阪烧。
没有大阪烧专用的酱汁
只好用普通酱汁和番茄
酱调制……
虽然他
也吃得
很开
心……
蛋黄酱
嗯，很好吃
哦!!
但我还是小小地反省了一下。
我应该做意大利面
或者蛋包饭这种
精致可爱的食物
才对嘛……
土豆烧牛肉
也行啊……
碎
碎
念
BOOKS
怪不得这些书
这么畅销呢～
哦～
原来如
此……
特制
爱心餐
给心爱的他

就这样，我和他在一起也过了一段开心的日子……
SALE
买点吃的吧～
一起逛超市的感觉好像新婚夫妇哦～
这个很好吃哦!!
巧克力夹心面包
呵呵呵
我是怀抱梦想并且痛下决心才会来东京闯荡的……
我来东京是为了从事绘画事业!!
振作～
得赶紧闯出一番天地才行!!
男朋友比我小，还是个大学生，平时和父母一起住……
我还想多做几年学生～
哈哈哈
毕业后再去别的学校读几年吧～
摄影爱好者
重考两年现在是大三学生
也许是这种差距导致我们渐行渐远……
你要是真的想以画画为生，就应该更积极地去推销你的作品啊～
口不择言
轮不到你来教我，你这温室里的花朵!!
如果是我的话一定会这么做的～
火大～
事情哪有你想的那么简单～
结果就被甩了。
丢
哇～
情绪低落的我……
呜呜……讨厌死东京的男人了～
讨厌讨厌～

如此伤心的我，曾经有过一个奢侈的心愿。
那就是……
一个人吃完一整个蛋糕
虎咽
狼吞
很想实现这个心愿，来抚慰失恋的自己……
cake
欢迎
光临
生日蛋糕
¥3800
¥3500
¥4000
泪
好贵!!
最后在超市买了个瑞士卷代替。
超市
就……
就这样吧……
呜咽……
妥协
瑞士卷
一个人生活，连吃个蛋糕都容易失控……
啊呜啊呜~
风卷残云
风卷残云
可以不用在意家人的眼光，做一些疯狂的事……
呜呜……一整条吃下去果然还是太撑了……
胃好难受~
不过我也终于能够重新振作起来。
切
还在愤愤不平

那时候为了省钱，
我都自己做便当带
去打工的
地方吃……
我的便当经
常被人笑话
太寒酸。
诶！午饭就吃杯
面和饭团吗?!
Noodle
呃……
嗯……
唏溜溜……
两种都是
碳水化合
物耶～
你应该多吃
点蔬菜哦～
冷冻米饭
空荡荡～
可事实
上～
我家冰箱里
基本上没什
么存货～
后来有
一天，
我做了
蔬菜主
打的便
当!!
锵～～
炒青菜
诶，就只有
青菜吗?!

茶水间
请把剩下的面汤倒入三角区
哈哈
哦，对了，冰箱里还有一道菜呢!!
我带的另一道菜就是这个。
调味海蕴
海蕴
100日元3盒装其中的1盒……
不是吧……
海……海蕴……
集体冷场……
哧溜……
是……是吗……
海蕴不能拿来当菜吃吧～
她每天要给我爸做便当，就顺便也帮我做一份咯～
好棒哦……阿姨每天都会给你做这么丰富的便当吗？
有个同事和父母一起住，她的便当是妈妈亲手做的。
呵呵呵
好多菜……
盯～
垂涎……
好好哦，好好哦～
我也想做这家的孩子～

没错……
一个人生活
之后会特别
想念……
可以
吃饭了哦～
家常菜的
味道……
想象图
努力开发自己也能做的菜品。
茶碗蒸蛋
应该是这
样做没错
吧……
没有合适
的器皿
就用马克
杯代替好
了……
配料用葱和竹轮
高汤
在锅里加水
就可以当蒸
器用了吧～
不知道能
不能成功
呢？
梦想在餐桌上延伸。
今天我又是一个人吃饭。
哇哦！
秋刀鱼只要
68日元!!
限时特价～
¥68
今天的晚饭
就是它了～!!
我就这样在
各种梦想与
现实的碰撞
中生存……
哇哦
看上去还不错嘛!!
大功
告成～

纪念相册

~饮食日记1~

重现夏威夷美食
午餐肉饭团!!

独享一个大西瓜!!

夏天经常做
苦瓜什锦炒面。

日式
早餐

不小心
做了太多的
意大利面。

不想做菜的时候，就会端
着锅吃方便面（最多再配
一盘沙拉）。

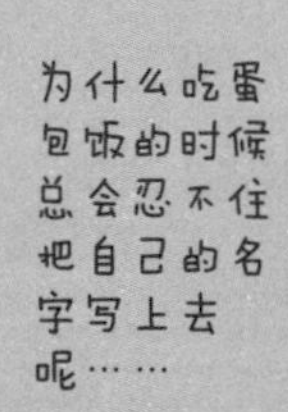

为什么吃蛋
包饭的时候
总会忍不住
把自己的名
字写上去
呢……

为了美容会搭配
一盘沙拉。

用热香饼做的
西式大阪烧。

偶尔也会想吃
方便炒面。

去超市的话
我比较喜欢买这种面包。

经常做金枪鱼卷。

咳咳

感冒的时候就吃
热乎乎的杂烩粥。

这是我做的便当!!

做了咖喱之后
常常会连着吃3顿……

又做太多了。

想吃什么就吃什么

一个人生活的好处就在于可以自己决定菜单的内容。
早饭吃大阪烧
嘟嘟
囔囔
再来一罐早餐啤酒
什么时候吃，吃什么都是我的自由。

有一天晚上突然很想吃炒面面包。
幻想图~
怎么办？都已经十点了……
咕噜~
可是真的很想吃……
便利店
我最怕走夜路，所以真的是用跑的。
冲刺
最后实在忍不住就跑去附近的便利店买。

面包·三文治
可是炒面面包已经卖完了。
不会吧!
空
失落失落失落
肉包
?
欢迎光临
岂有此理!!我就自己做给你看!!
气愤~
于是就买了这些回家。
黄油面包和方便炒面
5只装
酱汁口味
24 store
用这些材料做出来的是……
黄油面包方便炒面三文治
(烹制时间5分钟)
太棒了我的炒面面包♥
想吃什么就应该吃什么~!!
……遗憾的是软乎乎的方便炒面和黄油面包的味道完全不搭。
太~
太难吃了~
彻底宣告失败……

我的省钱食谱……卷
日子经常捉襟见肘……
刚开始一个人住的时候，收入很不稳定……
不会吧~存款只剩这么点了!!
存折
饭桌上以蔬菜为主。
好~~这棵卷心菜够我吃一阵子的了~
今天吃卷心菜炒鸡蛋……明天吃卷心菜炒饭……
还可以用来做意大利面
嘿嘿嘿
能够节省的只有伙食费……
嗯~有没有什么便宜点的~
超市
打折
特价
东张西望
东张西望
咕噜
特惠商品在哪里呢……
哦!?
面包
可是，有时候也会特别想吃肉……
啊啊!!人家偶尔也想大口大口地享受厚切牛排嘛!!
滋滋~
咕噜~
哇~这么大这么新鲜的卷心菜……
鲜采卷心菜
¥58
促销商品
居然只要58日元!!
我当时想出来的省钱食谱就是这个!!
嗨哟!嗨哟!
首先把面粉揉成和肉差不多硬度的面团……
面粉

调出牛排那种甜甜咸咸的味道!!
嗬
嗬
然后把面团放入平底锅中煎炸……
料酒
加入大蒜
油
呃
结果口感像橡皮一样难吃得要命。
我还以为这样就能吃出点肉的味道来……
鲜鱼
¥980
生鱼片拼盘
¥1280
我最喜欢吃生鱼片……
¥780
呜呜~太贵了买不起~
金枪鱼~

直好那简就是生活最好的恩赐!!
今日特价 100日元
超市的"周三百元特价日"偶尔会有小包装的金枪鱼泥出售……
1人份 金枪鱼泥
我满足我对生鱼片的念想。
好好吃哦……
我经常会买这个回家做一大碗金枪鱼泥盖浇饭……
好幸福~
一点点
我也会买一百日元1条的"特惠装"乌贼回来自己杀……
嘿嘿嘿~乌贼生鱼片~
一个人住什么都得自己动手!!
溜溜
滑滑
从来没杀过

随心所欲的单身食谱……卷

在食物方面我有个不为人知的爱好，那就是……
银鱼干
银鱼干
¥298
静冈产
就这么吃也很好吃……
啊～呜
呵呵呵……
补钙补钙♪
喜欢这三种食材的组合。
银鱼干
腌梅干
青紫苏

我最爱吃用这三种材料做的拌饭♡
怎么吃都不会腻!!
津津有味
梅干和紫苏切成细丝
芝麻
撒点芝麻上去也不错
用这种搭配做意大利面也很棒。
银鱼干·梅干·加紫苏的和风意面
LEMON
根据个人口味酌加柠檬汁
银鱼干我一般都去超市买……
促销商品
新鲜银鱼干
¥198
太棒了～好便宜哦!!
超市

腌梅干则是每次都从老家搜刮很多回来。
欢欢喜喜
这个我拿走了哦～
海苔
也经常搜刮家里的"海苔"
嗯～
老爸
至于青紫苏，可以自己在阳台上种……
很强健很好伺候
快快长大～
浇水
过季的时候就去超市买
就算是最爱吃的银鱼干有时也会被我遗忘。
一不留神就过期了……
银鱼干
保质期
2006.5.23
¥258
啊!
已经过期4天了……

这时所受的打击是非常巨大的。
不会吧～～我竟然浪费了这么多条生命～!!
……
对不起～
为了避免这种情况再次发生，买了银鱼干之后就会大吃特吃一番。
某一日的晚餐
韭菜炒银鱼干
银鱼干萝卜泥
纳豆拌银鱼干
银鱼干大餐……
我的餐桌基本上就是这个样子，虽然很不起眼……
全是我爱吃的♡
……但我很满足。
啤酒
银鱼干配葱的大阪烧
布丁

想买一只可爱的锅……卷
刚开始一个人住时……
好想买一只可爱的牛奶锅啊~吃早饭的时候可以用它来热牛奶~♡
MILK
我曾有过这样的愿望~
珐琅质地的……
我看中的牛奶锅都贵得离谱……
嗯……这个倒是非常符合我的要求~
牛奶锅
¥2500
好可爱~
当时生活拮据的我只能先将就着在百元店买一只小锅代用。
100 YEN
先用这个凑合凑合，等以后有钱了再重新买一个可爱的好了~
如山
堆积

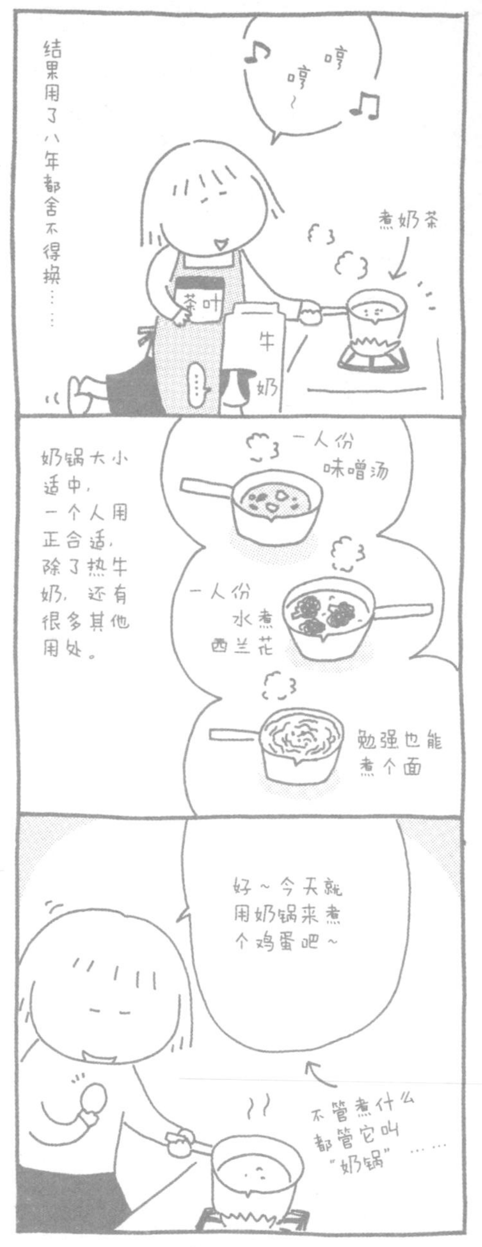
结果用了八年都舍不得换……
哼哼~
煮奶茶
茶叶
牛奶
奶锅大小适中，一个人用正合适，除了热牛奶，还有很多其他用处。
一人份味噌汤
一人份水煮西兰花
勉强也能煮个面
好~今天就用奶锅来煮个鸡蛋吧~
不管煮什么都管它叫“奶锅”……

就听到一阵巨响。
可是，上次用奶锅煮鸡蛋时一个不留意……
嘭!!
啥?!
里面的鸡蛋就爆炸了。
急忙跑过去看，原来是锅里的水烧干了……
哇
干透
干透
还得清理四下飞溅的鸡蛋末……
天花板也沾上了
我的鸡蛋~
啜泣

连锅也是一片焦黑。
回头一看……
终于要说再见了吗……
这……这次真的报废了吧……
焦黑
焦黑
没想到擦洗之后还挺干净的，那就继续用吧……
这家伙可真耐用啊……
嗯~
MILK
百元店真不错……

随兴所至的味噌汤生活……卷
自己做饭的时候也经常会做味噌汤。
我偏好日式口味……
哼哼~
虽然只有自己一个人，常备的味噌却有好几种。
白味噌
红味噌
混合味噌
嗯~
今天好像比较想吃
白味噌……
味噌汤变不出太多的花样，但是根据心情使用不同的味噌也挺有意思的……
今日菜单
白味噌汤
我开动了哦~

有时也会根据配料来选择味噌。
猪骨汤配红味噌!!
蚬配白味噌
蛤蜊配红味噌!!
南瓜和芋类就配混合味噌!!
莫名其妙的小讲究……
夏天食物容易腐坏，所以每次只做一点点。
冬天则会多做一些。
存放备用
这种时候……
晚饭吃什么好呢~
呜呜……
今天好冷哦~
好冷啊~

会把猪肉和乌冬面之类的材料扔到剩下的味噌汤里一起煮。
乌冬面
猪肉
葱
香菇
炸豆腐
鸡蛋
咕嘟咕嘟一起炖
很快就能吃到热乎乎的味噌汤乌冬面了。
暖呼呼的♡
呼
呼
乌冬面加红味噌才好吃。
（加点泡菜也不错哦）
端着锅直接吃
我这个人最怕麻烦，但是会老老实实地熬制高汤。
讨厌用现成的汤包……
还是自己熬的最好吃♡
松鱼干
搭配速冻水饺（超爱吃）

我自己做饭很少能做出老妈的味道来，而味噌汤却是其中屈指可数的一个。
妈~妈~
热乎乎~
就算不是日式料理，也可以很随意地搭配上一碗味噌汤……
意大利面
味噌汤
失败的组合
三文治
味噌汤
今后我还会继续过这种味噌汤生活。
我血管中流淌的都是味噌汤
吁吁吁
说笑而已啦！

一个人的菜式创新……卷

在不久前的某个晚上……
好想喝热乎乎的汤哦……
我突发奇想。
咕噜噜~
超爱喝汤的家伙
可是冰箱里只有一点蔬菜……
一点肉都没有耶~
这时候超市早就关门了……
味噌
空荡荡~
只能先烧一锅开水……
把冰箱里的蔬菜随便切几下，放到锅里煮……
切菜
切菜
卷心菜、番茄等等

只用了盐来调味……
呃……
难喝!!
味道单一的蔬菜盐水清汤
加入少许蒜末和姜丝来提味……
这样会不会好一点
那天家里真的找不到其他任何材料……
味道变得更加奇怪……
呕
药膳风蔬菜盐水清汤

为了拯救这锅汤的味道，我又胡乱加了很多香辛料进去……
啪
啪
胡椒、香菜、小茴香、红椒粉等
味道越来越诡异……
!!
离奇国度的蔬菜盐水清汤
最后实在没有办法，又去搜了一遍冰箱……
发现还有一些以前用剩下的炖汤料。
黄油
炖汤
嗯？

加了两块汤料进去之后又炖了一小会儿……
七上
八下
这……这汤会是什么味道呢……
刚才那种寡淡而古怪的味道已经奇迹般地调和在一起……
哇哦?!好好喝!!
突然变得很美味!!
我还挺喜欢那个味道的，偶尔也会做来喝。
命名
主厨偶得之作
无国界奶香盐蔬汤
哧溜~~

纪念相册

咕噜噜～

～饮食日记 2～

买了很拉风的面包，早餐就吃它了♡

我超爱吃番茄，一到夏天就会大量采购!!

将王菜焯熟，控干后用来凉拌豆腐。

有时也会豁出去，买点自己爱吃的鲑鱼子♡

早上好!!

家中常备冷冻乌冬面。

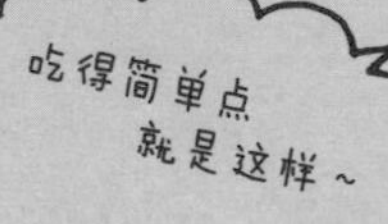

吃得简单点就是这样～

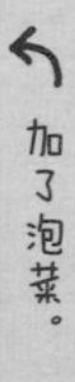

加了泡菜。

养生石锅盖浇饭!!

挂面是夏日里的最佳选择!!

丰盛中透出寂寥……

值得庆祝的日子就会这么吃。

吃什么都爱加
柠檬汁~

蛤蜊应该
搭配红味
噌……

梅干·银鱼干·青紫
苏拌饭。

喜欢的味道♡

附近的蔬果店
可以买到
很大个的手工
腌梅干。

呼~~

有时候累得不想做饭
就买超市的便当吃
再喝点啤酒……

※注：日本杂志，手拿柠檬的封面人物是该杂志最大的特色。

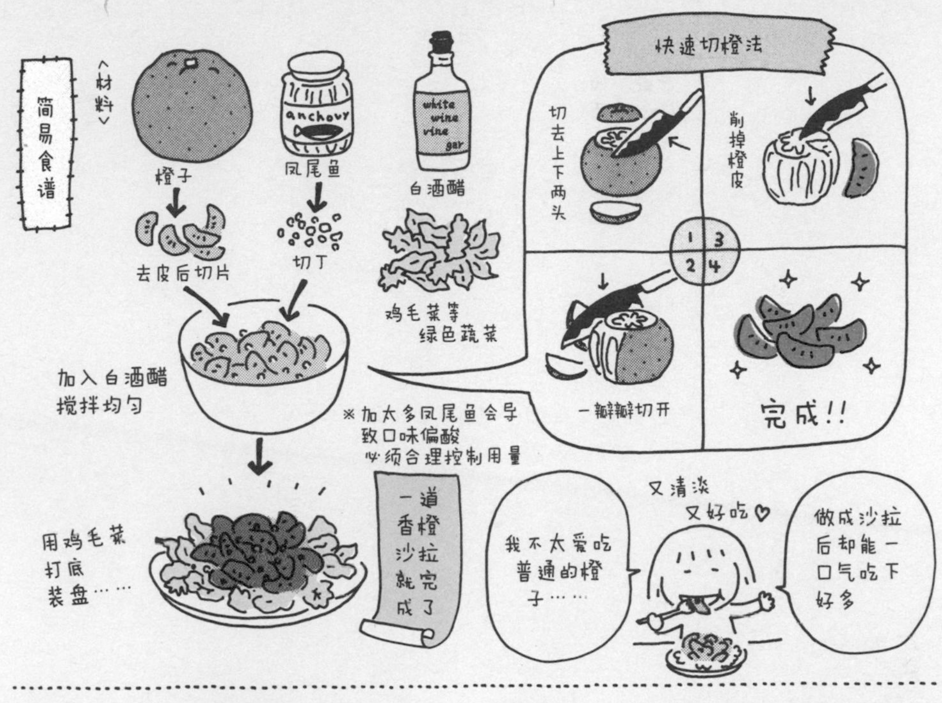
简易食谱
<材料>
橙子
去皮后切片
凤尾鱼
anchovy
切丁
white wine vinegar
白酒醋
鸡毛菜等
绿色蔬菜
加入白酒醋
搅拌均匀
※加太多凤尾鱼会导致口味偏酸
必须合理控制用量
快速切橙法
切去上下两头
削掉橙皮
一瓣瓣切开
完成!!
用鸡毛菜
打底
装盘……
一道香橙沙拉就完成了
我不太爱吃普通的橙子……
又清淡
又好吃♡
做成沙拉后却能一口气吃下好多

喜欢的食物
鳄梨
我也很喜欢营养丰富的森林黄油——鳄梨♡
切片
蘸芥末酱油
♡蘸香油＋蒜泥＋盐
金枪鱼的味道!!
烤肉的味道!!
真的假的啊……
鳄梨
盐
蒜末
柠檬汁
按个人喜好~
香菜末
充分搅拌成糊状
喝啤酒时用这种鳄梨沙拉蘸墨西哥玉米片吃。
呵呵呵
今天喝科罗娜啤酒哦~♫
那是最安逸自在的幸福时光♡
完

独居琐记
饮食篇
逛完超市回家……
好……好重啊
这些都会吃到我的肚子里耶……
这么想起来好像还蛮夸张的。
沉甸甸~
不是吧~这可是我花了1000日元买来的~!!
打~击
打破心爱的盘子时真的会很伤心……
经常上演这一幕
呜呜……
压力锅
闪亮
电饭煲
闪亮
就没有可爱一点的电饭煲吗……
呜呜……好臭啊……
每天都要翻一次，好麻烦哦……
以放弃告终。
曾经试过自己做米糠腌菜……
臭气熏天~
一个人解决不了的食物
10枚装
盒装鸡蛋
一升装牛奶
牛奶
1000ml
原味
500g
酸奶500g
中华冷面三人份
中华冷面
3人份
附料包
生面
不知为什么，三人份的包装最常见。
本来买小包装的就好了，可是……
大小差这么多价格却只差30日元而已~!!
买小包装未免太吃亏了吧~
牛奶
牛奶
1ℓ ¥198
500mℓ ¥168
因为上过一段时间的陶艺课，所以家里有不少奇形怪状的器皿。
歪脖子碗
跛脚汤杯
怪画盘子
猪形花瓶
等等……

自成一派的室内装饰

到东京之前，我曾在老家的搬家公司打过一阵子工。
主要就是负责货物的装箱和拆箱
搬家托运
在那里，亲眼目睹了搬家工作的种种艰辛……
喂～你扛一下那边～!!
一～二～三～!!
好重～
桐木大衣柜
不行!!门太窄过不去!!
好重～
搬家托运
天哪～～
好好
就这样!!
得从阳台上往下卸～!!
因为这个原因我很少添置家具。
刚开始一个人生活时
～空荡荡～
家具就只有自己搭的床、小型置物架和矮桌而已
租房一族应该尽量保持轻装简行的状态……
……哈哈
无论什么时候都可以随心所欲地来去如风!!
虽然心里这样想……
满满当当……
生活杂货却越来越多，收纳成了一大难题……
米饭
不是吧～已经放不下了哦～

于是我又去买了一个大型置物架，价格很便宜，实在不行丢掉也不心疼。
一百八十厘米左右
特别……巨大
可我还是希望它看上去能够可爱一点，所以决定刷成自己喜欢的颜色……
日朵商店
刷子
油漆
呜呜……刷子和油漆都好贵哦……
在这么小的房间里刷油漆比想象中更困难……
为了省钱买了小号的刷子，刷起来好费劲哦～
刷～
糟了，油漆滴到地板上了！！
啪嗒
啪嗒
杂志
啊～油漆用完了～！！
空
还得再去买一趟～！！
日朵商店有点远……
最后也不知道我刷这油漆是对是错……
斑斑驳驳的样子看上去显得更廉价了。
呜呜……
把喜欢的围裙弄脏了
但不管怎么样，这么多年一直都在用它。
前前后后也有六七年了
满满的……
已经被填满了……

我常会买些便宜货回来……
手推车的脚断了!!
咔~嚓
¥1980
做手工也总是做些半吊子的东西出来……
打~击
自己缝的
窗帘不够宽!!
在我那些独居的朋友当中，有些人爱不停地买东西……
稳~坐
我在店里一眼就看中它了~
好大的沙发!!
有些人却什么都不买……
好像没什么变化嘛……
三年没来了
因为我什么都没买啊
对室内装饰又不感兴趣~
很少在家~
橘子
还有些人十分善于利用人际关系。
哈哈哈
家里的东西基本上都是别人送的!!
冰箱居然还是家庭用的大尺寸!!
诶好厉害!!
还真的是千人千面呢。
哈~~
不过每个人都有自己独特的魅力……

我也曾狠
下心买过
一样东西，
那就是……
工作椅
看了
很多
家店……
办公桌、椅子
嗯～
书架
我该买重
视设计的
漂亮椅子
呢……
还是暂时
先买便宜
的再看情
况……
不行～!!
如果要从事
绘画事业
那椅子就是
至关重要的
工作伙伴
啊!!
女人在这种
地方抠门，是不
会有前途的!!
当然应该
买功能性
强坐上去
舒服的椅
子啦，就
算贵一点
又怎样!!
振作～
就这样，我
抱着破釜沉
舟的决心!!
把它视为人
生的投资!!
视为陪伴我
一生的宝
物!!
咬牙买了
一把高
级工作
椅……
锵～
太夸张了
所谓一
分价钱
一分
货，
坐上去
的感觉
果然
无与伦
比。
好东西
就是不
一样～
工作台是买
木板回来
自己做的
转来
转去

除此之外，我还是喜欢没事做些小玩意儿……
呵呵呵……把这个安上去应该就会有装饰窗的效果了吧……
锵～
自己做的
好朋友来家里聚餐
已经放不下了哦。
堆满了!!
啊!
这张小矮桌从开始一直用到现在
超市
那……那就用这个试试。
纸箱&餐巾
桔子
虽然经常缺这个短那个，日子过得也不太新潮……
啊哈哈这个纸箱正好够用呢～
请叫它小边桌～
哈哈哈
但是我觉得现在这样的生活才是真正适合我的生活。
超市
桔子

画画
涂涂
……
这样坐着才比较安心（有时也会盘腿而坐）。
这把花大价钱买回来的工作椅，我最喜欢跪坐在上面画画……
使劲~
好~重
万一家里着火了，我一定要带着椅子一起逃生……
可是好像比较困难。
踉踉跄跄
又重……
又大……

收纳全靠点子和毅力

我一开始租的那套一居室有一个说大不大说小不小的收纳空间，里面常常都被塞得满满的……

每年一到入夏时，我就会很烦恼冬被的收纳问题。

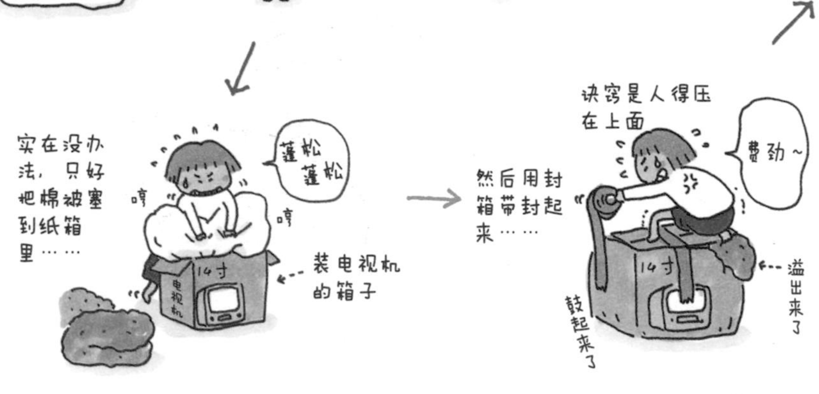

努力把箱子塞进上层腾出来的空间。

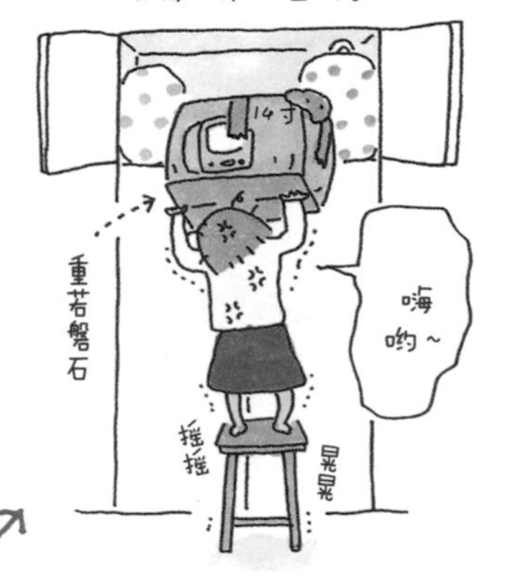

千万不能让任何人看到我这副德行……

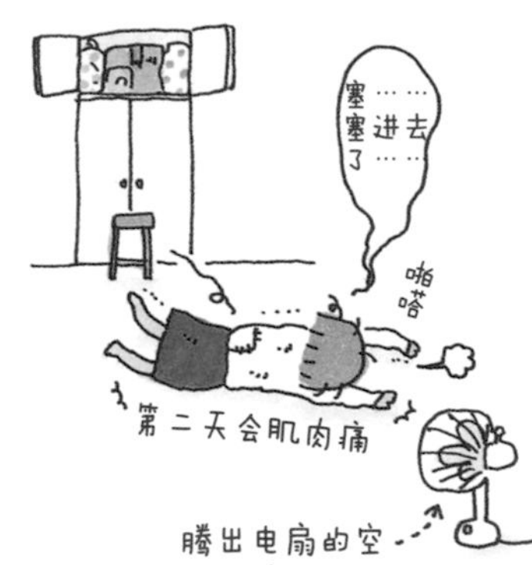

居住的房间太小的话，经常会因为收纳问题而烦恼。其实只要有毅力，肯动脑筋，一旦熟练了之后，做起来还是挺有乐趣的。

有点像童话故事里的不来梅音乐队？

我的沙发梦……卷
曾有过这样的梦想。
决定要一个人住的时候……
好想要沙发哦~
难度有点大。
可惜房子实在太小了，想要实现这个梦想……
做了一个袖珍型的山寨沙发!!
于是我突发奇想地用床单包住棉被……
锵~
里面是棉被
它都只给人棉被的感觉……
可不管是看上去还是坐上去……
软绵绵
有一天在店里发现了这个。
因此我开始考虑更好的方案……
嗯?
热卖品
可爱
立方体
坐垫
¥2980
……马上买回家
哦哦~用这个做沙发应该挺好看的吧!!
灵光一现
嗨哟
嗨哟
没想到
还挺重的

可是这个坐起来一点都不舒服。
这样坐太低，会腰痛
这样坐，又觉得不稳当
摇摇
晃晃
而且吃饭的时候特别别扭……
好远……
好……
很快就被我淘汰了丢在角落里。
很占地方
…

反正离得这么近……
呼~~
就拿床当沙发用好啦~
简直就是一张完美的沙发床……♡
还能躺着看电视呢……
人容易变得懒散……
一直开着
大的缺点在于常常躺着躺着就睡着了……
呼~
哈~

严冬里的一居室生活……卷
冬季……
对于怕冷的我来说，最难熬的季节就是……
飕飕~
啊~~今天还是很冷啊~
寒风见缝插针地灌进室内。
特别是一开始住公寓二楼转角的房间……
西
洗衣机
阳台
大窗户
空调
窗
南
玄关
哆哆嗦嗦~
UB
收纳空间
到了冬天也还是很暖和。
朋友住的一居室夹在两间屋子当中……
也没有阳台 只有一扇窗
一直都挺暖和的呀~
暖烘烘
诶~~

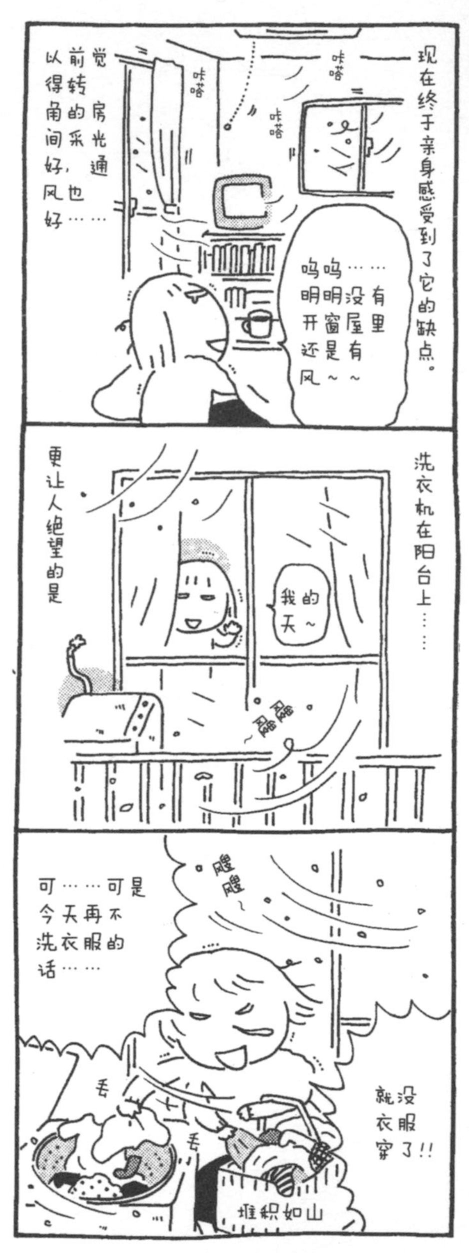
现在终于亲身感受到了它的缺点。
以前觉得转角的房间采光好，通风也好……
咔嗒
咔嗒
咔嗒
呜呜……明明没有开窗屋里还是有风~~
洗衣机在阳台上……
更让人绝望的是
我的天~
飕飕~
可……可是今天再不洗衣服的话……
飕飕~
丢
丢
堆积如山
就没衣服穿了!!

注：暖桌，也叫被炉，日本的一种取暖用具。

家里的新成员……卷
换季时，总忍不住想把家里布置一新。
和煦春日
厨房用具
所以今天我也要来给家里采购一些新用品。
啊~对了对了
我想要一个大一点的锅~
煮煮意面什么的~
还是买简单实用的好了~……
这个锅真好看可是好贵哦~
嘟嘟嚷嚷
但是好的锅能用一辈子呢，要不就豁出去买一个吧……
¥12800
¥3980

算了……还是等回家考虑清楚了再来买吧……
……
这么重，提着逛街也不方便……
这家伙……整整考虑了三年，都没把锅买回来……
窗帘
换个新窗帘应该能让家里面貌一新吧……
嗯……
窗帘都好贵哦……
床上用品
其实，换被套也有一样的效果嘛……
啊……这些也不便宜呢……

抱枕
要不然就换抱枕套吧……
啊……连这个都很贵~
嗯~嗯……
卫浴用品
起码也要换个有春天气息的马桶套吧……
粉色或者嫩黄色
就这样我看的东西总是越来越小件……
O型
U型
之后又到处转了转……
灯具
好想要一盏漂亮的水晶吊灯哦~♡

啊~也很想要这些可爱的小玩意儿呢~♡
好想打造一个可爱的小窝~♡
香薰炉
室内鞋
最后却只买了这个回家。
浴巾
¥1500
我的钱包还是捂得很紧的……
就算只买了一条新浴巾心情也会变得很愉快……
哇哦~新浴巾用起来真的很舒服呢!!
啊哈哈~♫
窸窸
窣窣
总觉得家里又多了一位新成员。

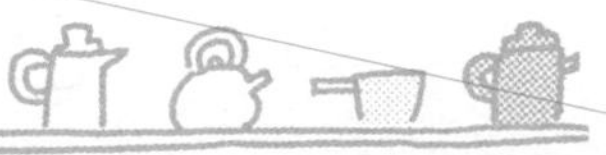

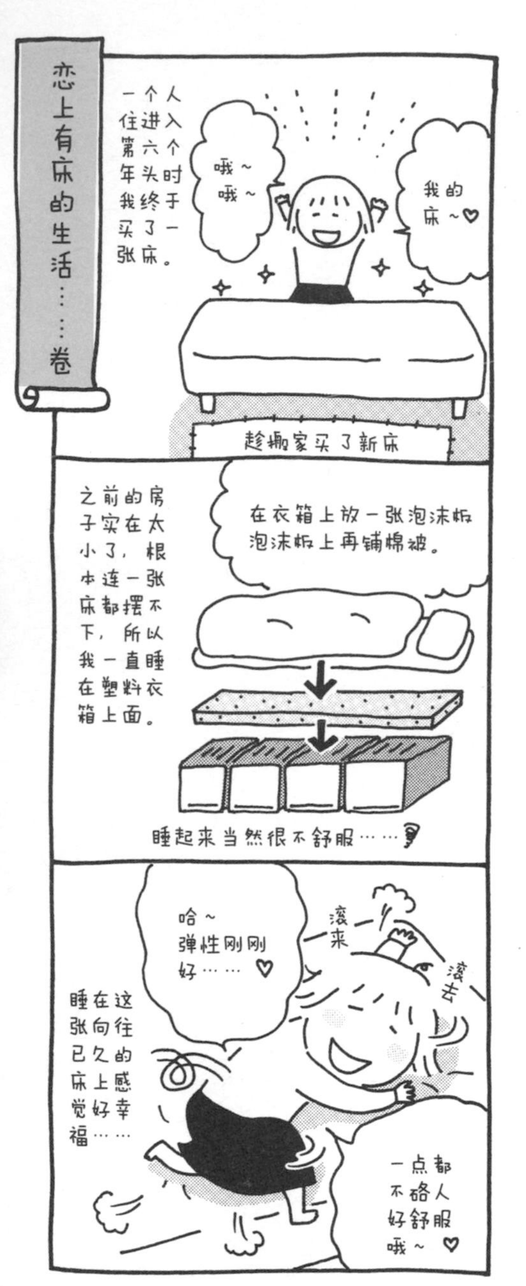
恋上有床的生活……卷
一个人住进入第六个年头时我终于买了一张床。
哦～哦～
我的床～♡
趁搬家买了新床
之前的房子实在太小了，根本连一张床都摆不下，所以我一直睡在塑料衣箱上面。
在衣箱上放一张泡沫板泡沫板上再铺棉被。
睡起来当然很不舒服……
哈～弹性刚刚好……♡
滚来
滚去
睡在这张向往已久的床上感觉好幸福……
一点都不硌人好舒服哦～♡

这才是用来睡觉的道具嘛!!
……这种事还用得着说吗。
铺在这张床上的是一条又薄又旧的毛毯……
呼啦
这条毛毯我从中学时代一直用到现在……
给，新毛毯。
哇～
读中学时妈妈买给我的。
中学时代的我
来东京的时候，也不忘大老远带它同行。

享受独处的时光……
在属于自己的房间里……
豆腐店的声音
啪~
噗~
人间乐园……
迷糊~
也许这里是最能让我安心的……
漫画
脸上写满了幸福的表情。
呼~
我每天都带着这样的心情进入沉沉的梦乡……

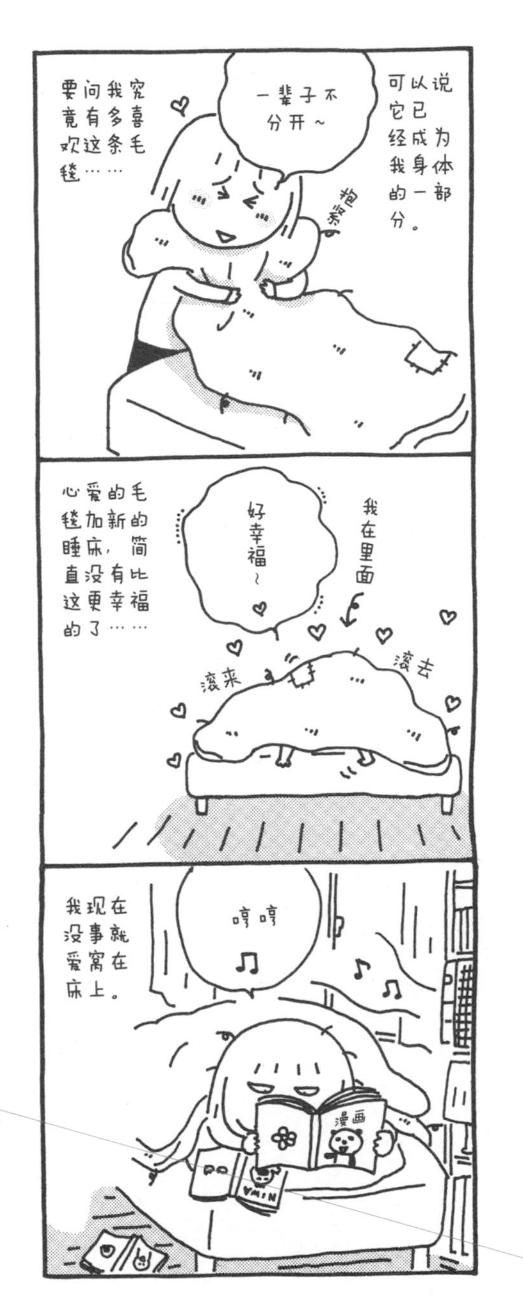
可以说它已经成为我身体的一部分。
一辈子不分开~
要问我究竟有多喜欢这条毛毯……
抱紧
我在里面
好幸福~
心爱的毛毯加新的睡床，简直没有比这更幸福的了……
滚来
滚去
哼哼
我现在没事就爱窝在床上。
漫画

改善生活……卷
独立洗面台
一个人住的第八个年头，我搬来现在这个房子住。
这是新家最让我满意的地方。
浴室
我真的好开心能用上这个。
哼哼~♪
毕竟以前那个实在太寒酸了……
很随便地装在浴缸旁边。
每次用都会把脚弄湿

我每天都开心地把它擦得锃亮。
啦啦♪
咯吱咯吱
心情就像擦洗自己的爱车？
啦啦
而新近添置的东西里，最满意的要数这张沙发!!
锵~~
双人沙发
我一直梦想能够躺在沙发上看电视。
悠闲~
哇哈哈……
TV

乐极生悲的是，我躺着躺着。
呼~
不小心睡着了……
啊哈哈
忽闪忽闪
结果马上就感冒了。
……
我……我就知道会这样……
咳咳
只用这些工具……
扫帚
&
地板拖
因为住的一直都是地板房，所以打扫卫生时……

前阵子终于买了一个吸尘器。
哇哦
用过之后就觉得吸尘器真的很方便。
吸~
无线吸尘器
以前在老家时，总是理直气壮地享受着衣食无忧的生活。
从来不会考虑这些问题。
吸尘器真的好厉害哦~
只要按一下开关就能把垃圾都吸干净呢~
一个人生活之后，开始会因为这些小小的变化而兴奋不已。
哈？
我知道啊……
朋友

初次公开！这就是我现在的家 （注）不是独立式住

生活和工作空间

中国的出版社送给我的画。

亲手刷成白色的置物架。

冬季版

自己做的矮式暖桌。

用载满回忆的小玩意儿装饰这个角落。

夏季版

一直守护着我的伙伴们……

纪念相册

哐当哐当……

← 从窗口望出去
可以看到铁轨

在厨房放些可爱的小摆设
做饭时也会有好心情~

我回来了哦~♡

咔嗒

洗衣机上面是流理台……

常备不缺的柠檬。

厨房

这是我平时工作的地方~

啦叽啪叽~啪

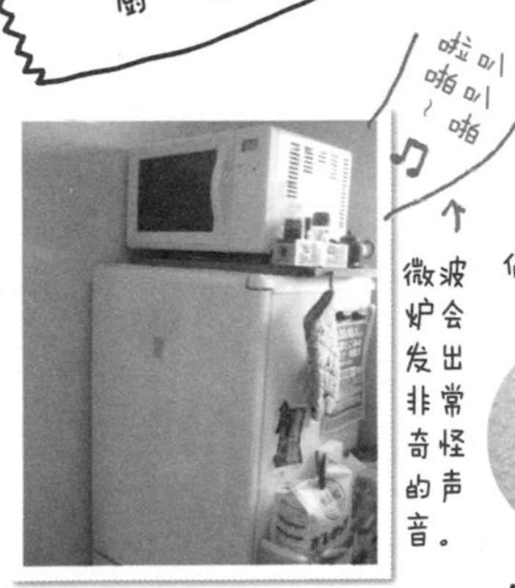

↑
波会出常怪声
微炉发非奇的音。

冰箱上面当然是微波炉了!!

偶尔现身的
壁虎先生♡

※注：海蒂，宫崎骏动画《阿尔卑斯山的少女》里的主人公。

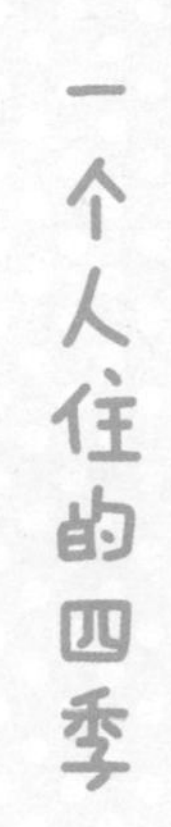
一个人住的四季

※注:JUSCO,日本本土的大型超市。

新年假期结束后，再次回到东京……
轰隆隆～
过年肥胖症也是每年的惯例……
不会吧～居然重了2kg!!
沉～重
还有急转直下的饮食生活……
呜呜……老家冰箱里满满都是好吃的看看我这里……
什么都没有～
～空空如也～
嗯……今天的生鱼片有点贵呢……
鲜鱼区
盯～
要不还是算了吧……
啊……明明昨天还在一家团圆～
孤零零……
一个人的砂锅乌冬
这种生活持续了一段时间之后……
呜呜……好想吃留在老家的布丁和雪糕哦～
咕噜～
呜～
增加的体重也就恢复得差不多了。
安心……
太好了♡

冬去春来——
因为我到东京的时候正值樱花盛开……
这是我第几次在东京看樱花了……？
所以每年一到这个季节总忍不住这么想。
走在街上，也总能够看到一些刚开始独立生活的人……
搬家
东张
西望
MAP
东京
衣箱
加油！独立生活的"新生们"！！
有时也不忘摆出一副人生前辈的样子……
入学式
自己也会因此受到感染，忍不住想为家里购置一些新用品……
是时候换个新水壶了～♡
水壶
趁春意正浓，为阳台添一些新绿。
嘿嘿嘿买了盆栽的三角梅～

转眼入夏——
虽然我很喜欢夏天……
不喜欢用空调
可尔必思
呜呜……浑身无力……
知了~
知了~
知了~
嗡~
可是不知道为什么每年都会苦夏。
除了西瓜什么都不想吃~
可铃铃
沙沙
沙沙
有电话
盐
喂 是直子吗？
啊 妈妈
每到这个时候，老家的电话也会变得频繁起来……
盂兰盆节有什么打算？会回来吗？
啊……嗯 新干线那么挤……
这是每年固定的话题，但我几乎没在盂兰盆节回过家。
女儿盂兰盆节不回家爸妈一定感到很失落吧……
直子连盂兰盆节都不回来啊~
咔嗒
对不起……

而且，给祖先扫墓是后辈应尽的孝心吧……
知了～
知了～
带着这种罪恶感跑去附近的神社……
烈日当空
啊～好热啊！！
虽然也知道没有什么意义。
祖、祖先大人……
愿你们安息……
啪啪
啪啪
捐钱
但还是会以我的方式奉养祖先。
哦，马上就是盂兰盆舞的日子了！！
盂兰盆舞
8月9日、10日举行！！
这时候苦夏已经痊愈，可以尽情享受最爱的夏天……
哎～嗨哟
啪啪
啪啪
棉花糖
哇～在东京听东京音乐，感觉特别不一样呢～
好棒哦～
哟呵哟呵
一个人住的夏天也进入了尾声——
哇哦～！！夏令时蔬配啤酒真是太享受了～
苦瓜炒什锦
毛豆
番茄
BEER

入秋——
白天渐渐变短……
嘎~
嘎~
烤红薯~
唉~
太阳这么早就下山了啊~
天气一天天转凉……
我从这时候开始就已经忍不住担心。
呜呜~
冬天马上就要来了!!
因为我真的非常怕冷!!
飕
所以一到秋天，我就开始积极地为冬天做各种准备。
换上毛绒绒的抱枕套~
努力
努力
铺上地毯~
呼啦
呜~
把毛毯拿出来~
好了~
暖桌安装完毕!!
暖风机也可以拿出来了……
嗨哟
嗨哟
呜呜……
晚上已经这么冷了……
把电炉也拿出来吧……
明天……
就这样四季轮替，又一个冬天来临了。

冬天……
这是一个令人对独居生活充满感触的季节……
啊～～
好冷啊!!
啊……
就算回到家
屋里也是冷冰冰的……
这是一个渴望有人陪伴的季节……
好想有个温暖的家……
这也是一个有圣诞节的季节……
便利店
圣诞蛋糕请尽早预定!!
merry Xmas
哦!
一个人生活的我，圣诞节没有任何安排，感觉有一丝凄凉……
原来……
就快到圣诞节了……
呼～
这又是一个没有任何计划的圣诞节——
啊～难得的平安夜
除了打工我居然没有别的事情可干～
辛苦了～
我这是"剩"诞节吧～
我也只是回家
和家人一起吃蛋糕而已啦～
打工的同事
多好呀
多好呀
和家人一起吃蛋糕～
好幸福啊～

没错……对于独居人士而言，圣诞节如果没有任何活动，真的就是孤苦伶仃的感觉……
圣诞蛋糕
圣诞蛋糕啊……
买回去一个人吃也没意思……
哼……
我无所谓，
真的无所谓，
反正也不是基督教徒!!
哈哈哈
咔~嚓
就老老实实在家待着好了!!
边吃饭边看看电视吧……
打开开关
炒乌冬
啤酒
圣诞快乐
诶是给我的吗!?
不会吧~
连电视都在播圣诞特辑~
喧闹
今天还是不要看电视了，不如来写贺年卡吧……
嗯?
呜呜……
对面在开圣诞舞会~
哇哈哈
热闹
热热闹闹
很开心的样子~
泡澡时莫名其妙地点起了蜡烛
早知道我也买个火鸡回来了……
哗啦啦……

哼～
这种日子
就该早点睡觉!!
只是挂起来晾干而已
热闹
热闹
睡觉啦!!
可是就
算过
了一
夜……
第二天依然一派圣诞景象……
今天才是真正的圣诞节
蛋糕
圣诞快乐～
吵吵
嚷嚷
吵吵
呜呜……
今天
星期六
连打工
都不用
去……
等到圣
诞节结
束那天
才终于
松了一
口气!!
12月
26日
25日
24日
喔～哦
圣诞节终于过去啦～
紧接着，
所有人
都开始
为过年
而忙碌
起来……
啊～
没完没了的
大扫除!!
返乡高峰
已经出
现……
可
铃
铃
一个人
住还能
搞得这
么乱～
嗯?
啊～
爸爸
今年我照旧
回故乡过
年……
嗯～坐明天
傍晚的新干
线回家。
明年再
见咯!!
202
过完年再
回到这里
来。
啪嗒

纪念相册
~快乐的绿植栽培~
住一居室时的玄关口
嗯……
营养不良的常青藤。
罗勒长得很茂盛
茁壮
约三十厘米
水培大蒜
蒜芽当然是用来吃的~
快快长大~
只需要一点点绿色
就能令人心情平静。
水培植物很容易养护。
香薰炉~
呆头呆脑
温馨的小角落~
住一居室时的窗台。

快乐而寂寞的星期天

一个人的假日感觉有点寂寞……

我常常这么想。

※我住的公寓禁止养宠物。

光是看着它们就已经觉得很幸福

寂寞的时候，我常会来这里。

这里是我的心灵绿洲。

可是回到家
又是孤零零一个人……

抱着想象中的狗狗。

经常一个人边喝啤酒
边做这种诡异的事情……

反正闲
着没事
干不如
去散散
步吧~
嗯？
啊~~~
猫咪
喵喵过来~~
学猫叫
哼
打击
切~~
我不会
再上钩
了。
啊
鸽子
咕咕咕~~
嘎
飞走了
呜~~
谁也不理我

冬日故事

啊
古董空调
轰隆隆
我住的公寓到处漏风一到冬天就冷得不得了……
冻死我了……空调一点都不热啊
在家里也围着围巾
寒气
好暖和~
烤烤火吧……
熊熊燃烧
这么冷的冬夜应该好好泡个热水澡。
哆哆嗦嗦
突突突
咯吱咯吱
呜呜……脚都冻僵了~
呼呜呜呜~
吹风机（热风）
哇啊啊啊~跳闸了
啪嗒
飕飕……

尽管浴缸小得可怜
尽管就在马桶旁边
可我还是很享受泡澡的
幸福时光~~!!
♥哈~~~
悠闲自在
一提起老家的冬天，就会想到石油炉以及老爸在炉上烤鱿鱼干的香味……
哼哼♥
噼啪噼啪
咝咝
啤酒
鱿鱼干
给我吃点儿♥
还有跟着沾点光的我
寒冬的夜里会有点怀念老家冬天的味道。
热乎乎
说起来很久没吃过鱿鱼干了呢~
下次买点回来吃吧♥
我住的公寓禁止使用石油炉

一个人回乡

每到年末
我总是手忙脚乱。

东京站里都是像我这样的返乡旅客，人山人海，拥挤不堪。

不过我好像挺喜欢这种年末的气氛。
吵吵嚷嚷
……
给家人买礼物有点怪不好意思的……
呵呵
就买这个吧……
草加仙贝
看到一个衣着十分前卫的年轻人也在买礼物，我竟然有些热泪盈眶……
仙贝
连你也要回故乡呢……
感谢惠顾
东京娜娜芭
然后在家里和家人一起吃荞麦面，看红白歌合战
这就是我每年固定不变的过年方式……
哧溜溜
今年为红组压轴的是……
电视机
偶尔也会想，这种一家团圆的年夜饭我还能再享受几次呢？

各自的春天……卷
我又在不知不觉中迎来了春天……
哼哼哼~
超市
诶……诶？楼下的租客不知道什么时候已经搬走了~!!
空空荡荡
一个独居的女孩子
超市
她也许是搬到条件更好的公寓去了……
又或者是回故乡了吧……

虽然平时没有任何来往但心里还是觉得空落落的……
呼~
……
超市
抬头发现对面一直空置的房间，终于有人搬进去住了。
喧闹
哦
一居室的公寓
年轻的男孩子
应该是妈妈

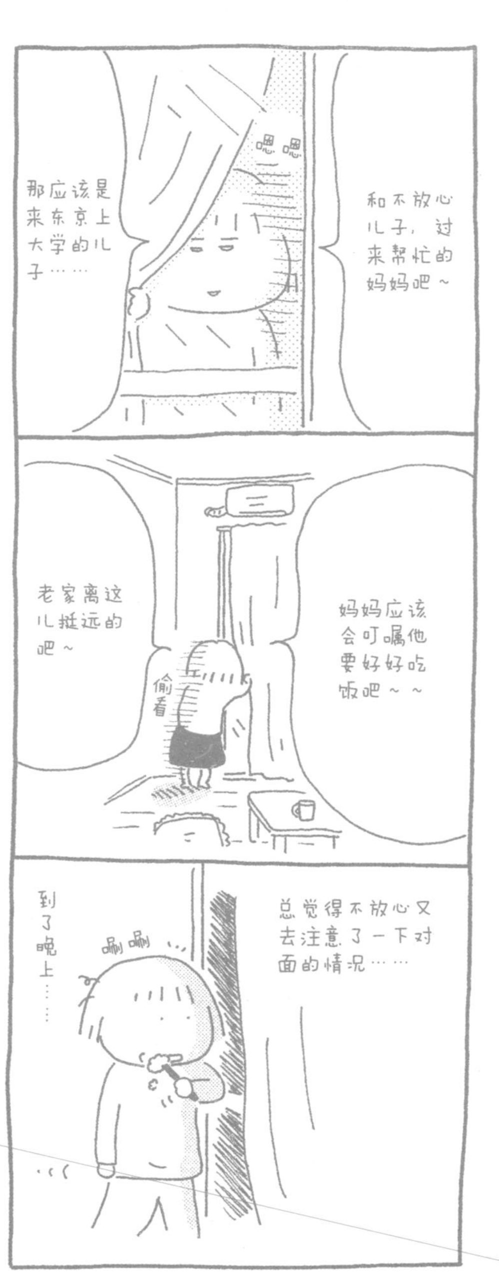
嗯嗯
那应该是来东京上大学的儿子……
和不放心儿子，过来帮忙的妈妈吧～
老家离这儿挺远的吧～
偷看
妈妈应该会叮嘱他要好好吃饭吧～～
到了晚上……
唰唰
总觉得不放心又去注意了一下对面的情况……

呆坐
窗帘还没有挂上
第一次一个人过夜……
应该会觉得寂寞吧……
有人迈出了新的一步，有人仍保持着现状……
各自的春天有着各自的生活。

漫无目的只身旅行……卷
决定试着一个人去旅行。
2号线列车马上就要进站了~
2
明明一直都是一个人。
偶尔也想独处一下……
哐当哐当
一个人旅行，自由而随性……
呵呵 第一站先去哪里呢~♡
哐当哐当
旅游指南
所以也能习惯一个人旅行（应该……）。
这些年一直都是一个人住……
……
卿卿♡我我
情侣
唧唧喳喳
一家人
旅途中最伤脑筋的就是吃饭的时候。
呃!!
食堂
开
发现其实也没什么。
但是下定决心进去之后……
我可真成熟~
哇哦~太好吃了~♡
附送啤酒♡
腐皮套餐

作为旅行的纪念。
也给自己买了一份礼物……
好可爱的小花瓶……
和朋友结伴旅行，当然热闹有趣……
喂 看这边~
哇哈哈
也很特别。
嘿嘿
而创造一段只属于自己的回忆……

到了旅馆还是孤单一人……
开
……
寂静无声……
不要紧，对付这种场面我最拿手。
和平时一样♫
哇哈哈
嘿嘿嘿
TV
不管怎么说，一个人的旅行，
还是很开心的。
荞麦面
啦啦

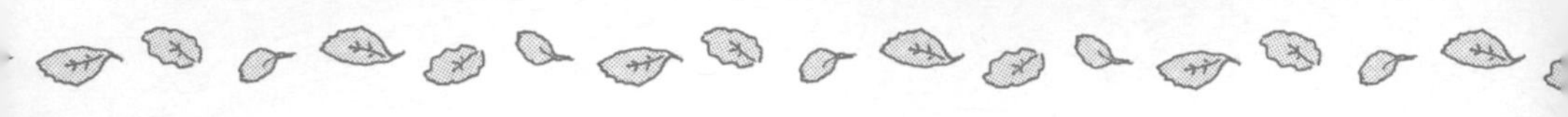

阳台菜园计划……卷
于是就有了这个主意。
对了，可以尝试一下家庭菜园!!
我家阳台虽然很小，但是光照很充足……
马上买来花盆等材料。
撒上了青紫苏的种子。
青紫苏
啦啦♪
倒 倒
可是左等右等都不见它发芽……
嗯~是不是哪里出问题了……

最后还是买了幼苗种上。
笨死了……
一早买幼苗不就好了嘛……
……虽然出师不利，但幼苗种下去之后长势非常旺盛。
茁壮成长
培育出来的叶子都贡献给了我家的餐桌。
嘿嘿嘿~今天吃挂面哦♡
摘摘
丰收丰收~

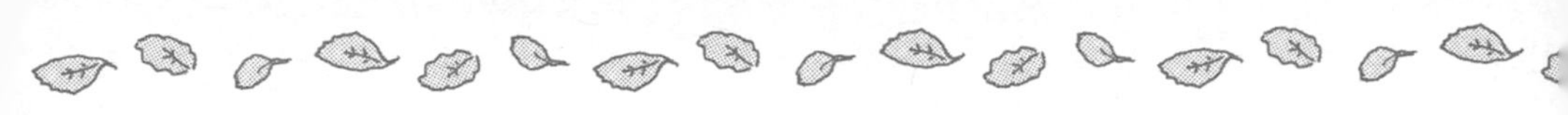

有时也会得意忘形摘太多，
于是就变成这副模样……
不用管它，过一阵子就会恢复原状了。
哇哦~~!!
锵~
令人感叹生命力之强大。
但是到了某个时期，无论我怎么施肥。
?
蔫蔫的耶~
它也不肯再长出新叶子来了。

一抬头看，已经是秋天了……
原来，青紫苏的季节已经结束了。
……
拜拜，青紫苏辛苦你了
摘摘
最后的收成
在四季界线模糊的都市里生活……
我有时也会想……
明天吃秋刀鱼好了~
挂面的季节也快结束了呢~
哧溜……
以植物的枯荣感受季节的轮转，也未尝不是一件好事~

令人怀念的小镇……卷
当中搬过两次家。
我已经一个人生活了好多年……
现在住的房子是第三个家~呵呵♡
已经很久没有回过一开始生活的那个小镇了，前几天有事去那边，让我有机会故地重游。
车站
人声鼎沸
对了，顺便去看看以前住的公寓吧……
四年前从那间公寓搬出来之后，就再也没有回去过……
没错没错~~以前从车站回家走的就是这条路~
没有什么变化嘛~

我的第一个家还在老地方，安然无恙。
啊哈哈~就是这儿了哇~好怀念哦!!♡
锵~
哇哇~
溜
可是现在再看，觉得它又小又旧。
破败……
对啊~我以前就住在这里呢~长达五年之久……
是因为经过了四年的原因吗?
但是渐渐地我又开始找回当年的感觉。
心情就好像坐着时空机回到了当初。
心跳
加速

202
202
202
202
202

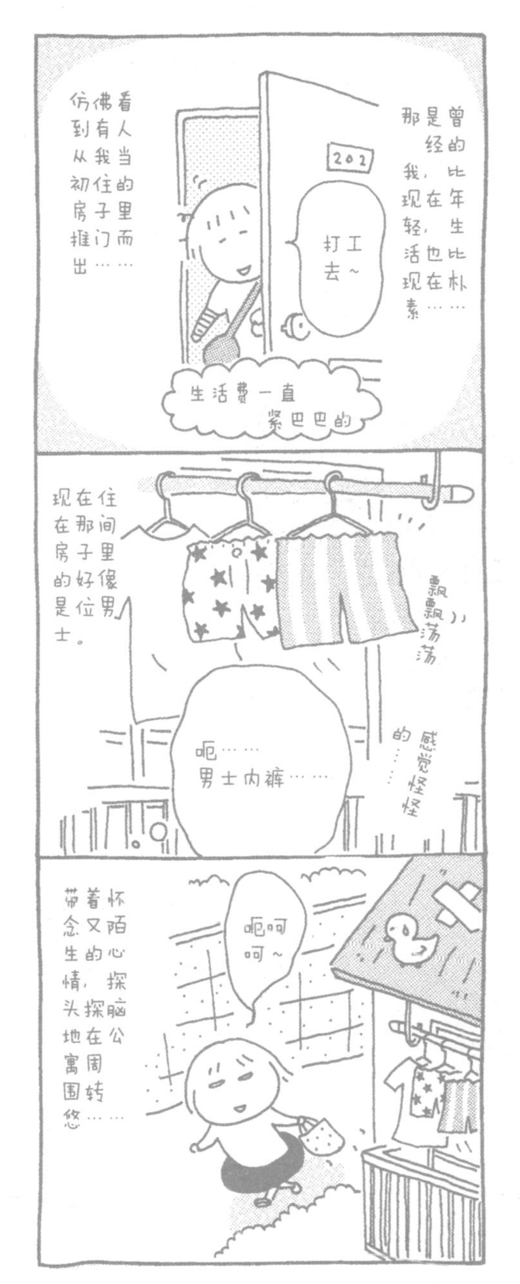
那是曾经的我，比现在年轻，生活也比现在朴素……
202
打工去~
生活费一直紧巴巴的
仿佛看到有人从我当初住的房子里推门而出……
现在住在那间房子里的好像是位男士。
飘飘荡荡
呃……男士内裤……
感觉怪怪的……
带着怀念又陌生的心情，探头探脑地在公寓周围转悠……
呃呵呵~

如果房子是有生命的……
嗨，是你啊！好久不见了!!
过得怎么样？挺好的吧？
呵呵呵
我期盼着它能这么和我说上几句……
拜拜……
保重哦……
垃圾
那会也是非常珍贵的体验。
鳗鱼盖浇饭
鳗 鱼 安
500日元
啊哈哈~以前经常来这家店吃饭呢~♡
租房生活逍遥自在，但是如果像这样有一个值得自己怀念的地方……

纪念相册

~本书中登场的小明星们~

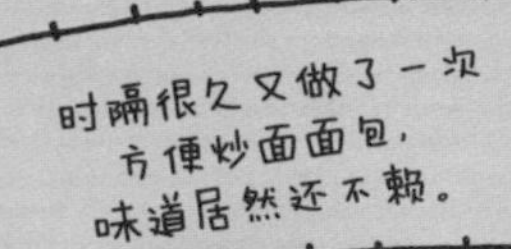

时隔很久又做了一次
方便炒面面包，
味道居然还不赖。

可是
量太大
了……

用不完的炒面~

自己种的
青紫苏，
经常摘来
吃。

家里一般会常备
两三种味噌，
最近我都在味噌店
买散装的。♡

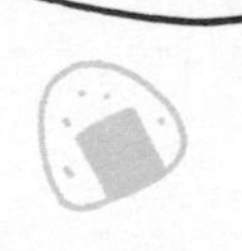

百元商店买的锅
用久了有感情，
一直舍不得丢。

以前打工时
导致集体冷
场的那个便
当，我又照
样做了一
次!!

现在再用“绿色健康”
做挡箭牌，
恐怕行不通了吧……

打饱嗝~

离开家的时候，内心感到非常寂寞。
搬家
父母看上去也很寂寞。
到东京以后还是觉得寂寞……
很多事情都不顺利……
打~击
沉~痛
存折
但也因此有了..足够的独处时间……
涂涂画画
体验到了许多以前从未体验过的心情……
也对自己有了新的认识……
鲑鱼子都是我一个人的
嘿嘿嘿~
现在，我从心底感谢
这段一个人住的日子。

后　记

我在杂志《尽情享受一个人的生活》上发表的连载，

加上一部分未发表的内容，集结成了现在这本书。

杂志的连载始于2004年春季号，至今仍在继续。

而这本书收录了至2010年夏季号为止，超过6年的连载内容。

在连载过程中，我的生活也经历了很多变化。

从最初一个人在一居室里生活，

到后来和姐姐合租，直至现在的两居室独居生活，

我已经越来越习惯一个人过日子。

而曾经朝不保夕的收入，

也随着插画工作的稳定，渐渐有了好转。

我现在已经有能力买一些自己想要的东西，

偶尔也会出去旅行散心。

也许我的画风和作品的整体风格也有了一些变化，

但我并未对此作出任何修改，

就当是送给读者的小小礼物吧。

希望大家能够喜欢我的独居生活。

我无法预见自己的生活将会发生怎样的变化，

但我会继续珍惜每一份小小的惊喜与感动，

努力活出真我。

最后，非常感谢大家能够读完整本书。

2010年7月

高木直子

图书在版编目（CIP）数据

一个人住的每一天 /（日）高木直子著；顾峰峰译. —沈阳：辽宁科学技术出版社，2011.6（2011.7重印）
ISBN 978-7-5381-6922-5

Ⅰ.①一… Ⅱ.①高… ②顾… Ⅲ.①漫画—作品—日本—现代 Ⅳ.①J238.2

中国版本图书馆CIP数据核字（2011）第058487号

策划制作：北京书锦缘咨询有限公司（www.booklink.com.cn）
总 策 划：陈 庆
策 划：张 羿
装帧设计：郭 宁

出版发行：辽宁科学技术出版社
(地址：沈阳市和平区十一纬路 29 号 邮编：110003)
印 刷 者：北京瑞禾彩色印刷有限公司
经 销 者：各地新华书店
幅面尺寸：148mm×210mm
印 张：4
字 数：30千字
出版时间：2011年6月第1版
印刷时间：2011年7月第2次印刷
责任编辑：卢山秀 谨 严
责任校对：合 力

书 号：ISBN 978-7-5381-6922-5
定 价：25.00元

联系电话：024-23284376
邮购热线：024-23284502
E-mail: lnkjc@126.com
http: //www.lnkj.com.cn
本书网址：www.lnkj.cn/uri.sh/6922